C000111399

UNE ROSE
AU
PARADIS

ŒUVRES DE RENÉ BARJAVEL
CHEZ POCKET :

LA NUIT DES TEMPS
LES CHEMINS DE KATMANDOU
LE GRAND SECRET
LES DAMES À LA LICORNE

René BARJAVEL

UNE ROSE AU PARADIS

roman

Le texte de ce volume n'a fait l'objet d'aucune modification depuis l'édition d'origine.

Tous droits de traduction, de reproduction et d'adaptation réservés pour tous les pays, y compris l'U.R.S.S.

© Presses de la Cité, 1981.

PRESSES DE LA CITÉ

La loi du 11 mars 1957 n'autorisant, aux termes des alinéas 2 et 3 de l'article 41, d'une part, que les « copies ou reproductions strictement réservées à l'usage privé du copiste et non destinées à une utilisation collective » et, d'autre part, que les analyses et les courtes citations dans un but d'exemple et d'illustration, « toute représentation ou reproduction, intégrale ou partielle, faite sans le consentement de l'auteur ou de ses ayants droit ou ayants cause, est illicite » (alinéa 1er de l'article 40).
Cette représentation ou reproduction, par quelque procédé que ce soit, constituerait donc une contrefaçon sanctionnée par les articles 425 et suivants du Code pénal.

© Presses de la Cité, 1981
ISBN 2-266-03258-5

à la mémoire
d'Abel Boisselier.
à qui je dois tout.

R.B.

Quelle journée, mon Dieu, quelle journée !...

Mais peut-on nommer cela une journée ? Quand il n'y a plus ni aube ni crépuscule, ni midi au milieu du ciel ?...

Il faut bien donner un nom aux tranches du temps qui passe... On ne peut tout de même pas s'exclamer : « Quelle tranche, mon Dieu, quelle tranche !... »

Mme Jonas s'assit au bord de la fontaine de pierre, après avoir un peu relevé, à deux mains, sa robe.

Mais peut-on appeler ça une robe ? C'est une sorte de sac, tout droit, sans manches, avec deux trous pour les bras et un pour la tête. C'est vaste et ample, ça ne pèse rien, ça cache tout, et ça permet de mettre ce qu'on veut dessous, ou rien du tout.

Ça ne pose pas de problème, c'est juste ce qu'il faut pour la chaleur qu'il fait. Non, non il ne fait pas vraiment *trop* chaud. Mais il ne fait *jamais* froid. Parfois ça manque...

Robe ou sac, journée ou tranche, recevoir à son réveil une pareille nouvelle, il y a de quoi avoir l'esprit perturbé, et les habitudes bouleversées, si étroitement serrées soient-elles dans le corset inébranlable de l'Arche.

Un corset, elle n'en avait jamais porté, bien sûr, mais

elle en avait vu l'image dans la reproduction d'un vieux catalogue, à côté des bottines à boutons et de la baignoire qu'on chauffe avec des bûches... Ça coince la taille, ça remonte l'estomac dans la bouche, ça redresse ce qui aimerait se laisser aller, ça oblige... Il ne faut pas que ça craque...

Mais Mme Jonas se sentait prête à craquer et se répandre. Quand elle avait trouvé Jim tranquillement endormi sous le saule pleureur, elle avait failli crier, comme devant un loup. C'était son fils, pourtant, son fils chéri... Et où était Jif ? Elle ne l'avait pas encore vue... Ils allaient se retrouver tout à l'heure, tous, pour examiner ensemble la situation. Les enfants ne se doutaient de rien, bien entendu... Et pourtant, ce qu'ils avaient fait mettait en question leur vie ou leur mort, et celle de tout le monde. Tout simplement...

Oh mon Dieu quelle journée, mon Dieu !... Qu'allons-nous devenir ?...

Elle regardait Jim qui dormait comme si de rien n'était, à sa place favorite, sur l'herbe, sous le saule. Il était presque nu, comme d'habitude, ne portant que son vieux short de couleur cuir, qui devenait trop petit. Pourquoi ne le changeait-il pas ? Sa peau était couleur de miel, et ses cheveux couleur de châtaigne au soleil. Quel âge avait-il ? Quinze ans ? Seize ans ?... Déjà !...

Des oiseaux chantaient, la fontaine au bassin rond laissait couler par les bouches de ses trois dauphins de l'eau claire et fraîche qui chantait aussi.

Qu'il était beau, doré dans l'herbe verte... Pourquoi ne changeait-il pas son vieux short ? C'était facile, pourtant, il suffisait d'appuyer sur le Bouton... Elle, elle changeait toujours de robe pour le petit déjeuner. Elle ne donnait aucune indication avant d'appuyer sur le Bouton. Elle préférait avoir la surprise. La forme restait la même, mais la couleur était différente chaque fois, et le décor aussi. Au moins c'était un peu de nouveau, quand tout le reste était toujours pareil... Aujourd'hui, la robe était couleur prune, avec des mouettes blanches...

Le saule n'avait pas changé, depuis les années. Pas

une feuille de plus, pas une de moins. Il était en plastique. L'herbe aussi. Et les chants des oiseaux étaient diffusés par les murs ocre et la voûte bleu ciel. Mais ils étaient aussi naturels que du naturel... Et une brise légère venait par moments faire onduler les longues branches de l'arbre. Et l'herbe et la mousse étaient fraîches et douces sous les pieds nus. Les pierres de la fontaine étaient en béton, mais l'eau était vraie...

Jim, lui, oui, lui, avait changé... Maintenant qu'elle savait, elle se rendait compte qu'il avait changé depuis quelques... Quelques quoi ? Il n'y a plus de mois, il n'y a plus d'années, le temps coule, coule, rien ne le marque à part la stupide pendule du salon, qui dit n'importe quoi...

Oh ! mon Jim, mon chéri, qu'est-ce que tu as fait ? Est-ce possible ? Toi...

Qu'il est beau... Quel âge a-t-il vraiment ? Je ne sais plus, comment pourrais-je savoir ? Il n'y a plus de calendrier, plus de nouvel an, plus d'anniversaire... Seize ans ?... Il a seize jours ! Il a seize secondes ! Il est mon petit, je viens de le faire...

Sous les branches tombantes du saule qui semblaient s'étirer vers lui avec l'envie de le toucher du bout de leurs feuilles, il était l'image même du repos heureux, couché sur le dos, tous ses muscles fins détendus comme ceux d'un chat, son visage tourné de profil, entouré par son bras droit, les doigts dans les boucles de ses cheveux...

Et de la distance où elle se trouvait, elle voyait la courbe de ses cils se dessiner sur le haut de sa joue. De qui tenait-il des cils pareils ? Et la couleur de ses cheveux ? Son père était blond, et elle rousse acajou... De quel ancêtre dans la nuit des temps tenait-il ce profil de dieu, ce nez droit en prolongement du front, au-dessus des lèvres parfaites ?... Et ces yeux qui n'en finissaient pas...

Elle avait vu une fois un visage semblable, pendant qu'elle était enceinte. Sur un dessin de Gustave Moreau. C'était celui de Nessus en train d'enlever

Déjanire. Elle n'avait pu s'empêcher de souhaiter « Oh ! je voudrais que mon fils lui ressemble ! » Mais elle s'était vite reprise avec effroi : Nessus était un centaure ! Elle n'avait pas envie de faire un quadrupède... Mais peut-être était-il resté quelque chose de son souhait ? On dit bien qu'une femme enceinte qui a une envie de fraises risque de mettre au monde un nouveau-né taché de rouge...

Dieu merci, Jim n'était taché nulle part... Jif non plus... Elle les avait bien examinés à leur naissance. Leur peau était si douce...

Jim ouvrit les yeux, vit sa mère et sourit...

Ses yeux, comme ses cheveux, étaient marron avec un reflet d'or. Son regard était une lumière. Il donnait de la joie, et en gardait une source inépuisable. Mme Jonas ne pouvait le recevoir sur elle sans fondre de bonheur. Elle aimait sa fille aussi, bien sûr, mais son fils, c'était quelque chose de plus. Il en est ainsi pour bien des mères. C'est naturel.

Il se leva, léger, disponible en entier, d'un seul coup. Il s'éveillait toujours ainsi. En deux pas il fut près d'elle, la prit dans ses bras et lui baisa les joues, les lèvres, le nez, le front... Elle le repoussa, fâchée... Plus désolée, en vérité, que fâchée...

— Laisse-moi ! Comment oses-tu m'embrasser, après ce que tu as fait ?

— Qu'est-ce que j'ai fait ?

— Mon Dieu, c'est vrai, gémit-elle, il ne sait même pas qu'il a fait le mal...

— J'ai fait mal ? A qui ? Je t'ai fait mal ? A toi ?...

— Tu n'a pas fait *du* mal, grand stupide garçon ? Tu as fait *LE* mal ! Mais tu ne sais pas ce que c'est...

— Si ! Je sais !...

Il se pinça le haut du bras gauche et tourna, fort. Il cria « aïe » puis se mit à rire. Il dit :

— C'est le mal...

Elle hocha la tête, attendrie jusqu'au fond de son cœur.

— Mon agneau !... Comment as-tu pu faire une

chose pareille, toi qui es plus innocent que le cœur d'une rose ?...

Il devint grave, s'agenouilla devant elle, leva vers son visage son regard où brûlait le soleil de tous les amours, et lui demanda très doucement :

— Qu'est-ce que c'est, une rose ?...

Il ne faisait que cela, poser des questions. Dès qu'il entendait un mot nouveau, il interrogeait. Qu'est-ce que c'est, c'est un caillou ? Qu'est-ce que c'est, la mer ? Comment lui expliquer ? Son père, lui-même, parfois renonçait à lui faire comprendre. Il était épuisant. Qu'est-ce que c'est, une rose ? Elle s'irrita :

— Cherche ! Laisse-moi tranquille, tu me fatigues, va-t'en !...

Il s'en alla en courant, rieur. Il cria :

— Je vais le demander au Roi !

Il sauta dans la glissière qui menait à l'étage des bêtes. Le Roi, c'était le lion. Il ne le nommait jamais autrement. Il lui posait toutes les questions auxquelles son père ou sa mère ne savait ou ne voulait pas répondre. Mais le lion ne répondait pas non plus : il dormait, allongé près de sa lionne endormie.

Toutes les bêtes dormaient, depuis seize ans.

Jim s'allongea sur le sol transparent. Le Roi était juste au-dessous de lui. Il ne bougeait jamais. Jim lui demanda :

— Qu'est-ce que c'est, une rose ?

Il était sûr qu'il recevrait la réponse en même temps que toutes les autres, quand le lion s'éveillerait.

Elle déplorait, une fois de plus, de n'avoir eu aucun autre livre à lui faire lire que son *La Fontaine*. C'était encore une chance qu'elle l'ait emporté dans son cabas-mousse, il y avait seize ans, le jour de la grande manifestation. C'était son institutrice qui le lui avait donné quand elle avait quitté le Cours Préparatoire, en lui faisant promettre de le lire. Elle avait promis, mais elle ne l'avait pas encore lu, elle n'avait jamais trouvé le temps. Elle le gardait toujours à portée de la main, pour le cas où elle aurait cinq minutes. Le jour de son mariage, elle l'avait emporté à l'église. Le curé avait cru que c'était un livre de messe. Pendant la grande manif il était dans son cabas, naturellement, avec son tricot. Heureusement ! Sans quoi il n'y aurait eu aucun livre, ici, pas un seul ! C'était incroyable, un oubli pareil... M. Gé disait qu'il l'avait fait exprès, que les livres transportaient tous les poisons du monde, les idées fausses, la violence, la bêtise. Et la science, qui avait tout détruit. Il fallait oublier, repartir à zéro. Puisque les enfants allaient reconstruire le monde, ce serait à eux d'écrire des livres nouveaux.

Ce qu'il affirmait n'était pas entièrement faux, elle s'en rendait compte : Jim et Jif avaient appris à lire dans le La Fontaine, et naturellement ils croyaient que les bêtes parlaient !... Comme dans le livre. Et Jim pensait sérieusement que le lion répondrait à ses questions quand il serait réveillé. Le lion, Sa Majesté le Roi des animaux !... Pauvre innocent...

Jif est peut-être moins naïve. En tout cas, elle ne pose pas de questions. Ce qu'elle ne peut pas connaître, elle ne cherche pas à l'imaginer. Elle se contente de bien profiter de ce que son petit univers met à sa disposition. Comme un bébé qui ne marche pas encore et qui, assis sur son derrière, explore tout ce qui est à portée de ses mains. Sans chercher à courir ou à s'envoler. Jim, lui, mon chéri, est comme un oiseau dans une cage. Il a mal aux ailes.∴.

Mme Jonas frappa à la porte de l'atelier de son mari, mais n'essaya pas d'entrer. Il l'en avait dissuadée depuis longtemps. Il ne laissait entrer personne dans la pièce dont elle avait aperçu une fois le désordre indescriptible d'outils, d'étagères surchargées, de fils électriques multicolores courant en tous sens, d'établis où tournaient de minuscules machines, et un mur tapissé d'écrans fluorescents autour d'un grand tableau noir poussiéreux. Elle n'avait pas insisté. C'était un domaine qui lui restait étranger et dont elle avait plutôt peur. Elle se souvenait de sa machine à tricoter *Super-2000* et de tous les ennuis qu'elle lui avait causés. Chère machine, c'était pourtant grâce à elle qu'ils s'étaient connus, et que tout s'était ensuivi...

Il ouvrit la porte et sortit. Pourquoi s'était-il laissé pousser la barbe ? Si encore c'était une vraie grosse belle barbe... Mais elle n'avait que quelques brins, qui pendaient. Une barbe de mandarin blond...

Elle lui dit une fois de plus :

— Tu étais bien mieux sans ta barbe...

— Je sais, je sais, je la couperai demain.

— Tu dis ça tous les jours ! Une de ces nuits, pendant que tu dors, je prends les ciseaux et clic !...

Il la regarda avec une grande tendresse un peu moqueuse. Il lui dit à voix basse :

— Tu sais si bien faire ce qui est important pendant que je dors !...

A ce souvenir, une énorme boule de bonheur et de regret lui monta à la gorge, et elle se blottit contre lui en pleurant.

— Henri, mon Henri, mon Henri...

— Eh bien, mon amour, eh bien...

— Tout ce qui nous est arrivé... Tout ça, tout ça...

— Est-ce que ce n'est pas merveilleux ?... Ça a si bien commencé, grâce à toi... Et ça aurait pu tourner si mal...

Elle reniflait. Il tira de la poche de sa blouse blanche un petit tournevis, puis un chiffon plein de poussière de craie, et lui essuya les yeux et lui pinça le nez.

— Souffle !...

Elle souffla.

— Je t'ai mis du blanc partout... Tu as l'air d'un Pierrot...

Il l'embrassa avec amour, sur toutes les traces de craie. Elle souriait, heureuse.

Elle redevint grave. Elle dit :

— Et maintenant, avec ce que nos petits ont fait, est-ce que nous sommes vraiment en danger ?

— Oui... Bien sûr... Mais ne t'inquiète pas, on trouvera une solution...

— Je sais que tu trouveras. Tu es si intelligent !... Je me suis toujours demandé pourquoi tu t'étais embarrassé d'une bonne femme comme moi...

— Parce que tu es la plus belle du monde...

Il le lui avait toujours répété. Elle savait bien que ce n'était pas vrai. Mais ça fait plaisir.

Et maintenant c'était presque vrai. Car il n'y avait plus au monde que deux femmes : elle, et Jif.

Jif était dans sa chambre et s'éveillait doucement. Contrairement à son frère, il lui fallait de longues minutes pour revenir à la pleine conscience. Elle prolongeait comme une chatte cet état de demi-sommeil, où elle n'était pas tout à fait éveillée et savait pourtant qu'elle ne dormait plus. C'était un état très agréable. Elle ne sentait de son corps que la tiédeur, il était présent et absent à la fois, léger et lourd, il ne lui appartenait presque plus, il était posé étendu sur le drap, et elle était blottie à l'intérieur, mais elle aurait pu être ailleurs, avec l'eau de la fontaine ou contre le ventre de la biche endormie, ou sur les genoux de maman qui lui chante une chanson, à voix douce, pour l'endormir, dormir, dormir... Mais nulle part elle n'était aussi bien que dans son corps bien reposé posé sur le drap bleu. Elle était bien, bien, bien... Si elle avait vraiment été une chatte elle aurait ronronné, les yeux clos. Mais elle n'avait jamais entendu un chat ronronner. Le chat et la chatte dormaient, la famille de souris endormie entre leurs pattes.

— Jif, dit la voix de M. Gé, il faut vous réveiller, mon petit... Je veux vous parler à tous dans le salon, quand l'horloge dira onze heures. Il ne vous reste pas beaucoup de temps...

— Oh !... gémit Jif, j'ai sommeil !...

— Mais non, vous n'avez plus sommeil du tout, dit la voix de M. Gé, gentiment, mais avec une évidence indiscutable.

Elle ouvrit un œil, puis l'autre. Ils étaient bleus. Comme ceux de papa, disait maman. Sa chambre était d'un rose léger, un peu ocre. Sans autre meuble que le lit, avec une ouverture pour la salle de bains W.C., et la porte du couloir, qu'elle ne fermait jamais.

Elle bâilla un peu et s'étira, par bouderie, pour bien montrer qu'elle avait vraiment encore sommeil. Mais elle ne savait pas si M. Gé, qui pouvait parler partout, pouvait voir partout. Elle supposait que oui. Elle demanda :

— Qu'est-ce qu'elle dit, l'horloge, maintenant ?

— Horloge, quelle heure est-il ? demanda la voix de M. Gé.

— Il est l'heure de se lever, dit l'horloge avec sa voix bougonne. Il est grand temps !...

— Oh ! celle-là ! Si on l'écoutait, on serait toujours pressé !...

Elle lui tira la langue et referma les yeux. Mais elle n'avait vraiment plus sommeil. Et le mur sentait si bon...

Elle s'assit, releva l'oreiller pour y caler son dos, ouvrit le mur et tira au-dessus du lit le plateau coulissant sur lequel fumait un grand bol de café au lait accompagné de deux croissants chauds et dorés. Naturellement ce n'était ni du café ni du lait mais elle ne pouvait pas le savoir. Et les croissants, après tout, avaient le bon goût de croissants au beurre. Du beurre, elle n'en avait jamais vu...

D'un revers de main, elle secoua les miettes qui s'étaient accrochées à sa poitrine, et ses petits seins charmants, élastiques, tremblèrent un peu. Elle repoussa le plateau, ferma le mur et courut vers la baignoire pleine. Plouf !... Des millions de bulles montèrent du fond de la baignoire. Elle se tourna et se retourna dans l'eau. Glou-glou-glou... Elle rit, chatouillée par les bulles. Blonde dans l'eau bleue, elle était tout entière de la même couleur de bois de pin, mais elle n'avait jamais vu de pin, ni entier ni en planches. Blonde de la tête aux pieds, ses cheveux courts et plats, en mèches folles, sa peau, la petite frisette au bas du ventre. Juste la pointe des seins un peu plus caramel. Elle ferma les yeux et se laissa flotter sur l'eau et les bulles. Elle se demanda où était Jim. Sûrement encore avec les bêtes... Quand M. Gé aurait fini de parler — qu'est-ce qu'il pouvait bien vouloir dire ? — elle prendrait Jim par la main et ils iraient recommencer...

La première fois, c'était arrivé drôlement. Ils étaient à l'étage des bêtes, allongés sur le gazon, en train de regarder la gazelle, si belle avec ses longs cils endormis. L'herbe verte dessinait des sentiers et des ronds-points entre les surfaces transparentes à travers lesquelles on pouvait regarder les bêtes. La gazelle était la voisine du lion, il y avait un peu plus loin la vache avec ses mamelles gonflées de lait surgelé, à côté de l'énorme cheval percheron avec sa jument, et de la poule noire avec douze poussins jaunes éparpillés.

Allongés dans l'herbe côte à côte, ils regardaient la gazelle, ils la regardaient tous les jours, ils ne s'en lassaient pas. Elle était blanche et fauve, avec des taches, et de longues, longues, jambes fines qui donnaient envie de la voir courir. Ses courtes cornes dessinaient deux arabesques pointues, et ses yeux immenses fermés étaient bordés de longs cils blonds.

— Elle a les yeux bleus, comme moi, dit Jif.

— Pas vrai ! Ils sont marron, comme les miens, dit Jim.

Ils se disputèrent, ils se bousculèrent, il lui donnait des coups de poings, elle lui tirait les cheveux, ils poussaient des cris, ils riaient, ils roulaient l'un sur l'autre, et tout à coup elle avait dit, surprise :

— Oh ! Qu'est-ce qui t'arrive ?

Et, pour savoir, elle avait mis la main dans son short.

— Oh !...

Elle lui avait ôté son short, pour mieux voir, et à genoux dans l'herbe, ils avaient regardé et touché, tous les deux, ce-qui-lui-arrivait... C'était drôle !... Et plus drôle encore ce que ça lui avait fait à elle. Tout son intérieur s'était bouleversé et était devenu brûlant, sa poitrine, son ventre, sa tête... Elle ne se rappelait plus du tout comment ça s'était enchaîné ensuite, mais, en un rien de temps, ce-qui-était-arrivé à Jim avait trouvé le moyen de venir s'installer dans elle, juste à l'intérieur d'un endroit qui semblait fait exprès pour ça...

La première fois, ça avait été plutôt bizarre. Mais ils avaient recommencé, et les autres fois c'était devenu bon, bon, bon !...

Il faudrait qu'elle en parle à maman. Maman ne savait peut-être pas qu'on pouvait se servir de cette façon de cet endroit-là. Elle ne devait pas le savoir, puisqu'elle ne le leur avait jamais dit.

Seize ans plus tôt..., non, dix-sept ans..., si on en croyait l'horloge du salon, qui disait n'importe quoi cette vieille folle, mais avec exactitude, Lucie, qui n'était pas encore Mme Jonas, venait de terminer sa journée, quelque part du côté de Laprugne, aux confins de l'Auvergne et du Bourbonnais. Depuis une semaine elle essayait de vendre aux dernières paysannes du Centre la plus perfectionnée des machines à tricoter : la *Super-2000*, à laine liquide et colorants incorporés. C'était une merveille de la chimie, de la mécanique et de l'électronique. Son clavier la faisait ressembler à une machine à écrire perchée sur quatre pattes de héron, à laquelle on aurait ajouté quelques tuyaux d'orgue tronqués : les réservoirs de laine et de colorants. On composait le modèle sur le clavier, on appuyait sur le bouton M, la machine se mettait à ronronner et on voyait descendre entre ses quatre jambes le pull-over ou la paire de chaussettes demandées, coloration et séchage instantanés. Un pull grande taille était tricoté en dix-sept secondes.

Mais parfois il y avait des ennuis. Lors de sa dernière démonstration, une demi-heure plus tôt, devant une vieille paysanne méfiante, la machine s'était bloquée. Énervée, elle l'avait secouée, et la *Super-2000* avait craché brusquement au-dessous d'elle une sorte de monstre pure laine, une masse spongieuse couleur cèpe, grosse comme une bonbonne, coiffée d'un chapeau-culotte jaune, cravatée de chaussettes multicolores et parsemée d'une multitude de doigts de gants roses, taille premier âge.

La vieille paysanne avait regardé l'objet avec étonnement, puis avec méfiance, puis avec une terreur grandissante. Lucie avait remballé très vite son matériel et regagné son petit autogire posé dans le pré voisin. Elle était découragée. Bertrand, son chef des ventes, lui avait pourtant assuré qu'elle allait « faire un malheur »...

— Vous ne le croiriez pas, il existe encore en France 371 vraies fermes abritant de vraies familles de paysans ! Si ! C'est vrai !... Au fond des campagnes ou en haut des montagnes... Ces gens-là n'ont jamais été prospectés, ils sont trop loin... Nous les avons repérés. Vous allez leur foncer dans le buffet, leur vendre notre merveille ! Travaillez les grand'mères. Elles vont se jeter dessus ! Ça va les amuser comme des folles pendant les soirées d'hiver, elles en ont toutes leur claque de la télévision... Avec tout ce qu'on y voit !... Vous allez en vendre au moins 200 ! Peut-être plus ! Et si elles veulent vous payer en napoléons vous leur faites une remise... Dix pour cent... Vingt !... Zut, vous pouvez aller jusqu'à trente !... Elles en ont ! Elles en ont toutes !... Vous avez vu le franc suisse, comme il dégringole ? C'est pas croyable ! On se demande où on va... Avec ces bruits de Bombes... Ils sont fous ! Le monde est fou !...

Elle n'en avait pas vendu une...

Elle venait seulement de comprendre la raison très simple de son échec : pourquoi ces femmes auraient-elles acheté un engin si compliqué et si cher alors que pour tricoter un pull-over il leur suffisait d'une paire d'aiguilles ?

Il lui restait à prospecter encore douze fermes dans le Centre, avant de se diriger vers la Bretagne. Mais elle était déjà certaine du résultat : zéro.

Son autogire survolait les tristes paysages bourbonnais, avec leurs pâturages déserts, et les usines à
bestiaux polyvalentes dont les quadrilatères de béton
écorchaient les douces courbes des collines. Elle en
avait visité une au début de sa tournée, guidée par un
ingénieur agricole enthousiaste. Elle avait vu, alignées
dans des rangées de boxes étroits, immobilisées par des
camisoles de nylon, des vaches, des vaches, des
vaches... Dans le mufle de chacune s'enfonçait un tube
nourricier, jusqu'au fond de l'estomac. Il déversait
vingt-quatre heures par jour, dans la quatrième poche
digestive, de l'herbe pré-ruminée, additionnée de
poudre d'algues. A l'autre extrémité de l'animal, un
tuyau à ventouse aspirait tous les déchets solides et
liquides, et les livrait à un convertisseur qui les
transformait sur-le-champ en granulés-aliments. Des
courroies sans fin les distribuaient dans les mangeoires
des poules pondeuses biologiquement accélérées, qui,
sans arrêt, mangeaient par une extrémité et pondaient
par l'autre.

Les mamelles des vaches étaient sucées en permanence par la trayeuse-transformeuse, qui livrait à la
sortie le beurre enveloppé et les millions de pots de
yaourts.

Le petit lait coulait vers le malaxeur de la porcherie,
dans lequel arrivait d'autre part le flot continu des
poules hors-ponte. Parvenues à leur dernier œuf,
vidées de toutes leurs réserves, il ne leur restait plus
que les os, un peu de peau écorchée, un bec usé, et deux
ou trois plumes. Le malaxeur les brassait dans le petit
lait, et le broyeur faisait du mélange une bouillie dont
les porcs se régalaient.

Tout finirait en saucisses.

Dans son engin volant presque silencieux, assaillie par la mélancolie et la solitude, Lucie eut la brusque révélation qu'elle était pareille aux bêtes des usines : coincée dans une chaîne inepte de travail sans joie, et qui ne prendrait fin que par sa propre fin.

A trente-deux ans, elle n'avait encore trouvé ni amour véritable, ni une tâche qui lui plût. Elle avait longtemps espéré rencontrer des raisons de vivre mais en cette minute elle se demandait si ces raisons pouvaient normalement exister, et si ce qui était normal ce n'était pas de se résigner...

Avoir été jeune pour rien...

N'avoir plus envie de le rester...

Se laisser pousser par le temps dans l'usure de l'âge, sans résistance, le tuyau dans la bouche et la ventouse au derrière, jusqu'au dernier yaourt...

A moins qu'un jour ou l'autre la nouvelle Bombe ne vienne mettre un terme fulgurant à cette absurdité ?

Elle se demandait si elle ne ferait pas mieux de se laisser tomber brusquement avec son petit biplace orange dans l'Allier en crue qu'elle était en train de survoler...

A cet instant précis, son moteur s'arrêta, et l'autogire se mit à glisser sur le flanc. Lucie retrouva d'un seul coup un goût merveilleux à la vie, et se cramponna aux commandes.

Le moteur refusait de repartir, et l'appareil descendait rapidement, soutenu par son rotor libre, Lucie repéra un courant ascendant couronné par un minuscule nimbus, l'intercepta, rebondit sur lui, et se posa finalement sans dommage dans l'étroite vallée de l'Ardoisière, sur la pelouse de l'Usine UA 27.2.

Lorsqu'elle mit le pied sur le gazon, Lucie était bien loin d'imaginer qu'à cet endroit-même, et dans très peu de temps, son destin allait changer de façon fabuleuse...

L'UA 27.2, devant laquelle Lucie venait d'atterrir, était la 272ᵉ Usine Alimentaire, récemment mise en route par le ministère de l'Agroalimentation. Ses étages en décrochements, avec jardins suspendus, couvraient un des flancs de la vallée, sur des kilomètres, l'autre versant ayant été conservé dans son état naturel. Le blé semé à l'étage supérieur dans des bacs hydroponiques poussait et mûrissait en quelques jours, était récolté broyé, pétri, cuit en quelques minutes, et finissait au rez-de-chaussée sous forme de tranches de pain rectangulaires, enveloppées par douze, et livrées par pipe-lines aux agglomérations urbaines. Les pipe-lines étaient calorifugés. Le pain arrivait frais.

Le fonctionnaire directeur de l'usine venait d'appeler en consultation Henri Jonas, un expert polyvalent connu dans le monde entier malgré son jeune âge. Il était en train de lui exposer la situation très grave dans laquelle se trouvait l'usine.

Debout devant la porte-fenêtre du bureau du directeur, qui ouvrait sur une terrasse couverte de pétunias de toutes couleurs, Jonas écoutait en souriant et en hochant la tête. Il semblait à peine avoir dépassé vingt ans. Ses cheveux d'un blond pâle, plutôt clairsemés, étaient coupés assez court, peut-être par lui-même, et séparés vers la gauche par une raie indécise. Ses yeux étaient bleus.

Il leva la main droite et montra quelque chose, au-dehors, sans dire mot : c'était l'autogire qui descendait.

— Enfin, monsieur, est-ce que vous m'écoutez ? demanda le directeur irrité.

— Bien sûr, bien sûr !... dit très gentiment Jonas, en se tournant vers lui avec un sourire.

Et son sourire dans son regard bleu, c'était le soleil de mai dans le ciel.

— Bon ! Bon !... bougonna le fonctionnaire, je résume...

Mais comment faire confiance à ce gamin ?

— Depuis 17 semaines, l'usine s'est mise à fabriquer des tranches de dix millimètres d'épaisseur au lieu de neuf, ce qui rend l'entreprise déficitaire, et risque de détruire l'équilibre du budget de tout le neuvième plan. Aucun des ingénieurs de l'usine, de la Région, du Ministère, des Firmes constructrices et installatrices, ni des cent douze services après-vente n'a réussi à déceler la cause de ce dérèglement...

— Oui, oui, oui... dit doucement Henri Jonas...

Il était vêtu d'un veston froissé par le voyage en avion, et d'un pantalon au pli effacé, le tout couleur de tabac anglais, et d'une chemise sans col, un peu bleue, un peu verte. Il était presque grand, mince, presque maigre, il marchait en regardant ses pieds, ce qui lui donnait l'air voûté. En réalité il ne regardait pas ses pieds, mais ce qu'il avait dans la tête. Il avait beaucoup. C'était un génie de l'électronique, et en même temps le roi des bricoleurs. Il avait fait aussi sa médecine et quelques certificats de biologie animale et végétale, car il trouvait les machines vivantes bien plus efficaces que les machines fabriquées.

Il se pencha sur le schéma général que le directeur avait étalé sur son bureau de verre et de bois d'amarante, il le regarda avec attention pendant quelques minutes, suivant des tracés avec un doigt en chuchotant des mots pour lui tout seul, puis il tourna le dos au plan et se mit à marcher en rond dans la vaste pièce, tête basse et les mains dans les poches de son veston. De temps en temps il se trouvait nez à nez avec un fonctionnaire qui entrait ou sortait, ou avec le directeur lui-même, que l'inquiétude poussait à marcher, non en rond, mais en zig-zag. Alors il s'arrêtait, relevait la tête et souriait avec le ravissement étonné d'un enfant qui s'éveille en face d'un petit lapin.

Il dit enfin :

— Je crois que, peut-être...

Puis il sortit de la pièce avec décision, monta jusqu'au septième étage par l'escalier, deux marches à la fois, suivi du directeur, des sous-directeurs et de toutes les secrétaires portant en pendentif leur mini-enregistreur.

Il entra seul dans l'armoire à air conditionné qui contenait la mémoire de l'ordinateur central de l'usine, et ferma la porte derrière lui.

Dans la lumière vive et le silence, la mémoire rayonnait au centre de la paroi du fond. C'était un rectangle de métal jaune, lisse, pas plus grand qu'un timbre poste. Il contenait des milliards d'instructions et des milliards de milliards de combinaisons possibles entre ses composants moléculaires. Il était le centre, le départ et l'arrivée d'une multitude de circuits imprimés qui moiraient la paroi et se répandaient dans toute l'usine à travers les murs.

Jonas tira de la poche droite de son veston un petit tournevis au manche jaune transparent, dont la tige était légèrement tordue et l'extrémité usée comme celle d'un cure-dents ayant trop servi, en posa la pointe quelque part vers le bord nord-est de la mémoire, gratta légèrement, se redressa, sortit de l'armoire, et dit au directeur :

— Ça devrait aller, maintenant...

Deux minutes plus tard, le directeur mesurait avec un pied à coulisse une tranche de pain toute chaude.

— Neuf millimètres !... dit-il d'une voix étranglée par l'émotion. Merci, monsieur Jonas...

Ayant signé en six exemplaires l'état Nᵒ 91.742 B 72 bis, qui lui permettrait d'être payé dans un an ou deux,

Henri Jonas sortit de l'usine et ferma aussitôt les yeux, ébloui : le soleil était devant lui, là, à deux mètres, presque dans ses mains.

Il souleva de nouveau les paupières, lentement, sachant ce qu'il allait voir : un derrière féminin dans un short jaune, éclairé par le soleil couchant. Le buste qui aurait dû se trouver au-dessus était plongé dans le compartiment-moteur d'un autogire. Ce qui se trouvait au-dessous, jusqu'à l'herbe, était plaisant à voir. Jonas le regarda avec plaisir, mais sans concupiscence.

A vingt-huit ans il n'avait encore jamais fait physiquement connaissance d'une femme et ça ne le tracassait pas. Dans son organisme, c'était surtout le cerveau qui fonctionnait. Sa sexualité était maintenue dans une sorte d'hibernation par l'envahissement de son génie électronique et mécanique.

Il entendit la tête qui se trouvait à l'extrémité du buste invisible gronder, maudire, crier « aïe » ! et la vit apparaître au-dessus du moteur en compagnie d'une main dont elle suçait un doigt. Elle était auréolée de cheveux presque rouges. Il s'approcha, offrit ses services, et sourit.

Lucie le regarda, et ne pensa plus à ôter son doigt de sa bouche, ne pensa même pas à répondre. Elle respirait encore parce que cela se faisait, grâce à Dieu, sans qu'elle eût besoin d'y penser...

La parole enfin lui revint. Elle ôta son doigt de ses lèvres et les mots suivirent.

— Oh oui !... Oui, oui, merci !...

— Ça ne doit pas être bien grave, dit-il. Il tira de sa poche son petit tournevis et à son tour plongea dans le moteur.

Debout près de lui, elle le regardait travailler et profitait de chaque fois où il se redressait pour l'examiner, bien en face, avec un étonnement qu'elle ne cherchait pas à dissimuler.

Elle avait connu quelques hommes, et vécu plus ou moins longtemps avec deux ou trois. Fugitifs ou temporaires, ils n'étaient pas particulièrement bêtes ni égoïstes, seulement comme tout le monde. Ils avaient passé ou vécu près d'elle sans être avec elle, l'avaient regardée sans la voir, entendue sans l'écouter, ils avaient parlé sans rien lui dire, passé sur elle comme un marteau-piqueur trépidant, si vite parti, le temps d'un oiseau, la laissant assoiffée, et grelottante comme si ce qu'ils nommaient l'amour n'était qu'un coup de vent d'hiver.

Celui-là, dont elle ne savait pas le nom, dont elle ne connaissait rien, celui-là n'était pas pareil, elle en était sûre !...

Quand il lui avait souri, elle avait vu, dans le bleu innocent de ses yeux, toute la fraîcheur d'une âme d'enfant qui restera telle jusqu'à la mort, et après.

Lorsqu'il se baissait vers le moteur elle se disait que ce n'était pas possible, un homme pareil n'existe pas... Et quand il relevait la tête et la regardait de nouveau avec son sourire, elle recevait une fois de plus le choc de l'évidence, elle ne pouvait pas se tromper, il était limpide comme de l'eau...

Le soir tombait, les petites grenouilles vertes de la vallée poussaient dans l'herbe humide leur cri d'amour ridicule, en ouvrant leur bouche jusqu'au ventre. Lucie frissonna, sentit ses jambes devenir molles, et s'appuya à son appareil pour ne pas tomber. Jonas se redressait. Il dit que c'était réparé, et que tout allait bien...

En deux secondes elle retrouva son sang-froid et prit sa décision. Cet homme était un trésor unique, il n'avait sans doute pas son pareil au monde, elle ne le laisserait pas retourner dans l'inconnu d'où il avait surgi, elle allait le prendre et le garder, il serait son mari, son amant, son enfant, elle le protégerait, le bercerait, le défendrait, l'aimerait...

Et elle déchirerait les membres et le visage de toute autre femme qui s'approcherait de lui. Il était plus jeune qu'elle, et il y a tant de jeunes panthères prêtes à sauter sur les garçons innocents...

Dieu qu'il était jeune ! C'était une folie ! Elle était sûre qu'il n'avait encore jamais... Eh bien, vive la folie ! Elle avait été bien trop raisonnable jusqu'à ce jour ! Il est vrai qu'elle n'avait jamais trouvé l'occasion de devenir folle. Comment avait-il pu jusque-là leur échapper ?... Folle ! folle ! folle !... Un ange ! un innocent ! un agneau !...

— Où allez-vous ? lui demanda-t-elle brusquement.

Elle savait que sa question était stupide : elle le rencontrait au fond de la campagne, il n'avait ni bagage ni casquette, il habitait vraisemblablement ici et n'allait nulle part. Pourtant il répondit sans s'étonner :

— A Paris...

— Moi aussi !... C'est parfait, je vous emmène !

Trente secondes plus tard ils s'envolaient et retrouvaient le soleil à dix mille pieds. En riant de joie, elle renonça au Limousin, à la Bretagne et à toutes les provinces, et mit le cap au Nord. Le soleil se coucha définitivement. Elle aperçut la Loire à l'horizon dans un soupir de brume rose, et déclara qu'elle avait faim. Il y avait là, près de La Charité, une excellente auberge...

Après son bain, elle se brossa les cheveux, se parfuma dans tous les coins, recommença à se brosser les cheveux et les dents dans tous les sens, dispersa sur le plancher le contenu de sa valise pour trouver un déshabillé transparent dont elle savait bien qu'il n'était pas là, puis s'assit nue sur le bord de son lit et se rendit à l'évidence : c'était la panique...

Son cœur battait à cent vingt, ses mains étaient moites, ses joues brûlantes, et ses cheveux se hérissaient autour de sa tête comme ceux d'un Black Panther 1970. Elle se mit debout et s'obligea à faire des mouvements respiratoires pour se calmer. La glace de l'armoire était en face d'elle. Elle se vit et fut un peu réconfortée. Qu'est-ce qu'il lui fallait, à ce Monsieur ? Elle était assez mince pour paraître très jeune, et assez ronde pour ne pas ressembler à ces gamines qui percent les draps avec leurs fesses... Jolis seins, bien pleins, bien ronds. Mais peut-être les aurait-il aimés plus menus ? NON ! Plus de panique ! Pas de pessimisme !... Il serait bien difficile ! On n'en trouve pas treize à la paire, des seins pareils ! Parfaits ! Ils sont parfaits !... Taille fine, douces hanches, petit ventre un peu bombé... Et alors ? Un ventre ce n'est pas une assiette à soupe entre deux os, un entonnoir dont le nombril est le trou ! Une main d'homme doit pouvoir s'y reposer comme sur un fruit, et non pas en chercher le fond !... Parfait ce ventre ! Petit sexe invisible sous son jardinet doré, cuisses jointes entre lesquelles ne passerait pas une aile de mouche... Elles s'ouvriront mon amour, elles s'ouvriront si tu le veux, elles sont à toi, tous ces trésors sont à toi, viens les chercher, viens les prendre, viens, viens, viens !...

Mais elle savait bien qu'il ne viendrait pas !... Et qu'elle devrait prendre l'initiative !... C'était terrible, elle ne s'était jamais trouvée dans une situation pareille, plutôt en train de se défendre, sans arrêt, contre les bousculeurs, ils vous coucheraient n'importe où, sur une marche de métro, sur une pelote d'épingles ! Et après, courant d'air ! Mais ça avait au moins un avantage, pas besoin de se demander : « Comment je vais faire ? » Tandis qu'avec celui-là !...

Après le dîner, elle avait déclaré qu'elle avait peur de rentrer à Paris en vol de nuit. Si ça ne l'ennuyait pas de coucher ici, on repartirait demain. Il avait répondu que ça ne l'ennuyait pas du tout, sans laisser entendre le moins du monde qu'il en était ravi... Mais où donc avait-il été élevé ?

On leur avait naturellement donné des chambres communicantes. Elle avait aussitôt frappé pour entrer chez lui sous n'importe quel prétexte. Elle lui avait demandé un crayon : il en avait trois dans sa poche intérieure : un feutre, un bic, et un électrique, avec un petit carnet spirale. C'était tout son bagage. Il parcourait ainsi le monde, achetant les objets selon ses besoins, semant derrière lui dans les hôtels le linge mis et les choses usées. Tous ses dossiers étaient dans sa mémoire.

Elle n'avait que faire d'un crayon. Quand il lui en eut donné un, elle dit « Merci » puis resta là debout, immobile, muette, attendant qu'il la prît dans ses bras ou qu'il fît un geste. Elle avait, avant d'entrer, ouvert un peu le zip de son pull blanc, juste ce qu'il fallait pour ne pas paraître provocante mais tout de même... Elle avait ôté son soutien-gorge. Elle sentait les pointes de ses seins qui commençaient à faire du cinéma en relief à travers le pull. Mais il ne les regardait même pas, l'idiot ! Il était debout lui aussi, devant elle, à un pas, il n'avait qu'un pas à faire ! Mais il ne le faisait pas ! Il la regardait gentiment, il ne disait rien, il ne bougeait pas, il souriait, elle se sentait devenir stupide, elle avait envie de le mordre !

Alors elle avait dit « Bonne nuit ! » d'une voix étouffée parce que si elle avait parlé plus fort elle aurait éclaté en sanglots, elle s'était détournée, elle était rentrée dans sa chambre, elle avait failli claquer la porte communicante, mais à la dernière seconde elle avait eu le bon réflexe, elle avait refermé doucement, lentement, pour qu'il se rende bien compte que la porte était seulement poussée, et le verrou pas mis.

Et il y avait de cela une heure ! Et il n'avait pas bougé ! Et demain matin ils allaient repartir, se séparer à Paris, et elle ne le reverrait jamais ! Elle s'était dit d'abord « Il va venir pendant mon bain, je ferai semblant d'être surprise, je dirai oh ! Je croiserai mes bras sur ma poitrine, mais mal, pour ne pas les cacher entièrement quand même !... j'en laisserai peut-être échapper un dans la mousse, je serai confuse... » Rien ! Il n'était pas venu ! Il n'avait rien fait ! il ne ferait rien ! et si elle ne voulait pas le perdre, il n'y avait qu'une solution : elle devait y aller...

Pyjama ?... Non !... Ne compliquons pas... Si !... soyons correcte : la veste. Elle est courte, elle s'ouvre devant, un seul bouton... J'ai l'air de quoi ? Je vais avoir l'air de quoi en entrant chez lui ? D'une pute ! Je suis une pute ! je suis folle !... Je n'y vais pas !

Je ne veux pas le perdre ! J'y vais !...

Elle éteignit toutes les lampes et se mit à quatre pattes pour regarder sous la porte : C'était éteint aussi de l'autre côté. Elle soupira, soulagée, se redressa, tourna la poignée avec autant de terreur d'un grincement qu'un cambrioleur à son premier exploit. Elle poussa la porte d'un centimètre et écouta. Elle entendit une respiration longue et calme, à peine perceptible. Il dormait... Mon Dieu, pourvu qu'il ait le sommeil assez profond... Pas trop quand même... Le temps d'arriver près de lui...

Elle arriva, sans rien bousculer, dans le noir absolu : il avait fermé les rideaux sur la nuit. Elle se dirigeait vers la respiration, penchée, la main droite en avant. Elle toucha du bout du majeur le dos de sa main posée au bord du lit. Elle faillit hurler. Il s'arrêta de respirer. Elle s'arrêta aussi. Mais il DEVAIT entendre son cœur qui battait comme la plus grosse caisse de l'orchestre de la Walkyrie.

Il y eut une éternité d'asphyxie complète, puis il recommença sa longue respiration. Il n'en avait pas changé le rythme, il n'avait pas bougé, il ne s'était pas réveillé...

Elle fit le tour du lit et mit une autre éternité à se glisser sous le drap sans faire de bruit ni de remous...

Elle était là... ça y était... elle était près de lui !... il était à quelques centimètres, peut-être moins, allongé près d'elle... c'était miraculeux, fantastique... Quoi qu'il pût arriver maintenant elle aurait goûté ce bonheur-là... Elle se relaxa et se fit lourde pour s'y plonger entièrement...

Elle sentait sa chaleur sur tout son côté gauche, elle était bien, comme jamais de sa vie elle n'avait été bien, elle pourrait rester ainsi sans bouger, dans cette chaleur près de lui, jusqu'au jour de leur mort, car elle ne voulait pas lui survivre, elle mourrait à la même minute que lui, dans très longtemps, après une très longue vie de bonheur unique au monde, comme aujourd'hui ce soir en ce moment... Mais il était peut-être marié ? Elle fut envahie par une terreur glacée. Elle était si troublée, si occupée à dire n'importe quoi pendant le dîner qu'elle n'avait même pas pensé à le lui demander. Quand un homme et une femme se rencontrent pour la première fois, l'homme regarde d'abord les jambes, les seins ou les yeux, selon son degré de spiritualité ou d'éducation, la femme regarde d'abord les doigts pour voir s'ils portent une alliance. Elle avait regardé. Il n'en portait pas, mais...

Non, non, il n'était pas dissimulateur, pas avec ces

yeux-là et ce sourire d'enfant. Et il était habillé n'importe comment, avec un costume trop grand, usé, de vieilles chaussures pas cirées... Non il n'était pas amoureux, il ne cherchait pas à plaire, il n'était pas marié et il n'y avait pas de femme dans sa vie !...

Elle sourit, rassurée. Elle avait de nouveau chassé la panique. Elle retrouva sa chaleur et même un peu plus. Elle commença à avoir très chaud. Elle se demandait... Il n'avait pas de valise... Donc pas de pyjama... Alors, chemise ?... Lentement, lentement, sa main gauche s'en fut en exploration. Après la traversée du désert, le dos de ses doigts toucha la hanche chaude. Il était nu. Il ne se réveilla pas.

Alors sa jambe suivit le même chemin et vint se poser contre sa jambe, avec autant de précautions qu'un pétrolier s'ajustant le long du quai.

Il s'arrêta de respirer. Elle aussi. Il y eut un instant de silence, puis un bruit de drap, et elle sentit une main légère se poser sur sa cuisse. Interrogative... Elle se remit à respirer, et posa sa main sur cette main. Celle-ci sembla hésiter, immobile. Comme un petit animal surpris qui croit se faire oublier en ne bougeant plus, puis elle se retourna sans brusquerie et fit face à la main posée sur elle. Et elles se fermèrent l'une sur l'autre...

Elle soupira. Elle était acceptée. Mais le moindre mot, maintenant, pouvait tout briser, apporter le ridicule ou l'odieux. Elle lui parlerait demain...

Elle se redressa sur le coude, et de son autre main commença à faire sa connaissance. Tiens ! Il n'était pas aussi maigre qu'il le paraissait. Ses épaules étaient musclées, ses bras aussi, bien qu'un peu minces... Il n'avait pas de poils sur la poitrine. Elle en sourit de plaisir dans le noir, elle avait horreur des torses velus, un torse long, la taille fine, et... Oh le cher, cher petit oiseau blotti, qui n'avait jamais volé et avait peur ! Elle le rassura doucement, lui fit de sa main un nid puis un toit, puis un étui, puis le quitta pour ne pas l'effaroucher. Elle se recoucha sur le dos, conduisit jusqu'à sa veste de pyjama la main qui était dans sa main, et l'abandonna sur le bouton. La boutonnière était très large, le bouton glissa tout de suite... C'était fait ! Il l'avait déshabillée !...

A la fois audacieuse et timide, la main légère se glissait sous un pan de la veste, découvrait une merveille, en faisait le tour puis l'ascension, s'y reposait avant de partir à la découverte de la merveille symétrique. Sa main à elle était revenue vers l'oiseau blotti qui commençait à prendre courage. Elle l'entourait de chaleur et de tendresse, lui donnait de l'élan, le sentait peu à peu devenir un adulte superbe et, avec délicatesse, le conduisait jusqu'à la porte du monde...

Un mois plus tard elle se nommait Mme Jonas, deux mois plus tard elle était enceinte, six mois plus tard son gynécologue, le Dr Sésame, lui déclarait qu'elle aurait des jumeaux. Elle ne pensait pas qu'il y eût sur la Terre ou quelque part dans l'Univers, si ses milliards de planètes étaient habitées, un couple plus heureux qu'elle et lui, lui et elle, elle avec lui.

Quand, la fameuse nuit de l'auberge au bord de la Loire, elle avait conduit Jonas jusqu'à elle, à l'instant où elle l'avait senti entrer doucement en elle, elle avait su que ce serait le miracle. Et lui, entre l'instant où il avait commencé d'entrer et celui où il était arrivé au fond de la profondeur d'elle, il avait vécu les sept jours de la création. Et lorsqu'il fut là, il n'y eut plus rien de lui qui existât que cette petite ronde partie de lui au bout de lui au milieu d'elle, lui tout entier en cette extrémité qui touchait et qui sentait, et qu'elle tenait enfermée dans le creux de son corps.

Il aurait voulu ne plus jamais bouger, mais le grand mouvement universel était monté en lui par les racines, et il s'était mis, lentement, à reculer, à revenir, à explorer, avec précaution, il avait peur de casser des choses... Et dans la nuit chaude de ce monde inconnu où il était entré, il avait délivré, pour elle, du bout de lui-même, des joies miraculeuses, interminables, inimaginables, dont elle ne soupçonnait même pas qu'elles pussent exister... Elle n'y croyait pas... ce n'était pas

vrai !... ce n'était pas possible !... Jamais !...
Jamais !... Toi ! Toi ! Toi !...

C'est ainsi qu'elle avait commencé à lui parler, sans
entendre ce qu'elle disait, mais plus rien ne pouvait être
ridicule. Elle avait parlé, puis elle avait gémi, crié, puis
elle s'était tue.

Quand il s'était retiré, ébloui et reconnaissant du
bonheur qu'il avait donné et de celui qu'il avait reçu, il
l'avait laissée comblée et apaisée comme la mer
ensoleillée, emplie dans toute sa chair de la splendeur
des étés, celle dont sont gorgés les pêches et les blés.
Et elle n'avait plus jamais eu froid ni soif ni peur de
rien. Et lui s'était toujours approché d'elle avec le
même émerveillement et la même douceur.

Elle continuait de regarder la TV, de recevoir les
nouvelles du monde, elle savait que c'était très grave,
elle s'indignait, elle signait les appels et les pétitions,
mais, aussitôt après, elle recommençait à sourire, elle
était trop heureuse pour accepter l'inquiétude. Cela ne
pouvait pas les concerner, elle et Jonas.

Elle avait rajeuni, ses yeux s'étaient agrandis et mis
à pétiller, ses cheveux voltigeaient, et sur ses joues et
sur son nez, ses taches de rousseur étaient devenues un
petit peuple turbulent en récréation. Elle trouvait
qu'elle avait la bouche trop grande, le menton trop rond
et le nez trop pointu, mais lui la trouvait parfaite et elle
ne demandait rien à Dieu de plus. Jonas lui disait qu'elle
allait bientôt avoir quinze ans. Il le lui disait pour la
rendre heureuse, mais il le croyait presque et cela
devenait presque vrai.

Des larmes coulaient de ses yeux, verts comme des arbres. Elle les essuya du poignet, renifla, et se mit à rire. Elle venait d'éplucher des oignons. Elle les porta jusqu'à l'évier en chantant « alouette-je-t'y-plumerai », et revint étaler sur la petite table une serviette éponge illustrée représentant un coucher de soleil sur le port de Sète, je-t'y-plumerai-la-tête, la mer rose et le ciel orangé, avec une barque bleue au premier plan, je-t'y-plumerai-le-flanc. Elle était heureuse. Elle savait bien que le monde était siphonné, que ça craquait de partout et que ça allait péter, mais ça ne pouvait pas l'empêcher d'être heureuse, et gaie par-dessus le marché, je-t'y-plumerai-le-nez. Elle était maintenant enceinte de neuf mois.

Elle répandit sur le coucher de soleil un kilo de carottes, et s'assit de profil pour commencer à les gratter. Son ventre arrondissait entre elle et le monde un obstacle que ses bras avaient de plus en plus de peine à franchir. Elle était fière de lui comme s'il était la tour Eiffel. C'était l'homme le plus merveilleux du monde qui le lui avait fait, son mari, son Henri, son Jonas. Tant d'amour l'avait rendue légère, comme une montgolfière. Chaque jour elle se dilatait davantage. Elle ne s'était jamais sentie si allègre, malgré son absence. Il était à Sydney, depuis hier matin. Il espérait rentrer ce soir, il ne voulait plus la laisser trop longtemps, il voulait être près d'elle quand elle accoucherait. Elle lui avait promis qu'elle l'attendrait. Elle ne craignait rien, elle savait qu'il pensait à elle et qu'il la protégeait, de près ou de loin. Elle était pleine de lui à éclater, son amour la précédait dans l'espace, elle se déplaçait en chantant dans son appartement, elle se cognait le ventre partout, je-t'y-plumerai-le-cou. Ça ne risquait rien là-dedans, aucun danger pour ses chers petits. Le Dr Sésame lui avait fait écouter, avec son appareil à oreilles, les deux petits cœurs qui battaient comme des cœurs d'oiseaux. Elle savait que rien ne leur arriverait tant qu'elle les tenait là. Les soixante-douze étages de l'immeuble pouvaient s'écrouler sur elle avec toutes leurs familles et leurs machines à laver-les-pieds-le-linge-et-la-vaisselle, ils en sortiraient intacts. Elle espérait que Jonas ne serait pas retardé. Elle sentait qu'elle arrivait à la limite, elle ne se développerait plus davantage, elle allait éclore, ou s'envoler...

On sonna à la porte.

Elle posa la carotte et le couteau, se leva comme une bulle, dénoua et laissa tomber sur le ciel et la mer son tablier qui représentait une prairie vert tendre illuminée de boutons d'or, et s'en fut ouvrir. Elle se trouva en face d'une robe rouge presque aussi grosse qu'elle, décorée d'un immense dahlia bleu.

— Tu es prête ? demanda Roseline.

C'était une Roseline noire, née à la Martinique.

— Jésus ! dit Mme Jonas, c'est aujourd'hui ?

— Tu avais oublié ?

— Oublié, non, mais je croyais que c'était demain... Entre, viens t'asseoir, je m'habille.

Roseline entra et vint s'asseoir avec précautions au bord d'un fauteuil dans le coin salon de la cuisine, et Mme Jonas passa pour se changer derrière la cloison du coin à dormir. Parce qu'il gagnait beaucoup d'argent, Jonas avait pu s'offrir ce vaste appartement, situé au soixantième étage de la tour de Saint-Germain-des-Prés, escalier R, couloir sud-est, porte 6042, composé d'une seule pièce, avec des cloisons mobiles et des meubles à roulettes. Il suffisait d'appuyer sur des boutons pour les déplacer dans tous les sens. C'était la méthode nouvelle pour lutter contre la monotonie de l'environnement. On pouvait se construire, chaque jour, un habitat nouveau. A travers le mur de verre, on découvrait, tout en bas, la Seine, et les toits de la moitié nord de Paris, pareils à un troupeau de moutons gris, avec les tours qui avaient surgi un peu partout parmi eux, comme des peupliers.

Elle passa une robe rouge comme celle de Roseline, fleurie d'un grand tournesol qui étala ses pétales d'or sur son ventre glorieux. Elle essaya d'épingler ses cheveux en un petit chignon, au sommet de la tête, pour ce qu'elles allaient faire ce serait plus sérieux et elle aurait moins chaud, mais ils s'évadèrent tous ensemble d'un seul coup. Elle renonça, les ébouriffa, vive la liberté, et quand elle rejoignit Roseline elle semblait coiffée d'un autre tournesol. Elle prit au passage son cabas-mousse, l'accrocha à son coude. Elles sortirent de l'appartement, marchèrent deux cents mètres dans le couloir pour rejoindre l'ascenseur central et prirent la cabine directe qui les déposa sur le quai du métro.

Bien qu'elle eût un quart de sang blanc dans les veines, Roseline brillait comme une chaussure noire bien cirée. Elle se tenait des deux mains à la barre verticale du compartiment, et, sans en avoir l'air, doucement, y frottait son nombril qui la démangeait et qui formait sous sa robe une délicate excroissance rose poussée hors de la peau noire par la pression interne. Roseline avait connu Mme Jonas à la polyclinique, au sous-sol de la tour Saint-Germain, où elles suivaient les cours de préparation à l'accouchement naturel. Elles s'aimaient bien. Elles avaient grossi ensemble.

Mme Jonas était également debout, solidement cramponnée à la poignée de la porte. Roseline aurait bien voulu s'asseoir, mais toutes les banquettes étaient occupées par des femmes enceintes. C'était une rame spéciale, qui les emmenait au défilé. Le rendez-vous était à la Concorde. Les femmes enceintes arrivaient sans arrêt sur la place par hélicoptères, autocars, autobus et métro. Elles furent bientôt plus de cent mille qui tourbillonnaient lentement en attendant le départ vers l'Étoile.

Les organisatrices avaient décidé, pour faciliter la mise en place, et parce que ça ferait plus gai, d'habiller les femmes d'une même couleur pour chaque mois.

Celles qui étaient enceintes de neuf mois étaient vêtues de rouge et, comme Roseline et Mme Jonas, décorées d'une grande fleur à leur choix. Les huit mois étaient en orangé, orné d'un quadrupède : chat, chien, chinchilla ou même taureau, girafe ou éléphant, les sept mois jaunes avec un oiseau, les six mois vertes avec un poisson, les cinq mois bleues, etc., jusqu'aux trois mois qui terminaient l'arc-en-ciel avec le violet et un fruit. Les deux mois étaient blanc, et les un mois et au-dessous en noir avec un légume en couleur. Cette présentation avait un troisième avantage : celui de rappeler à toutes ces femmes, et à tous ceux et celles qui les verraient défiler, des visages de la nature presque oubliés, certains même en train de disparaître ou déjà disparus.

L'immense foule de la Concorde se tria elle-même, les couleurs se cherchaient, se rassemblaient et se plaçaient dans l'ordre, le rouge en tête, face aux Champs-Élysées. Sur Paris stagnait le voile permanent de brume âcre issu des millions d'anus de la ville, fixes ou automobiles, cracheurs de vents empoisonnés de plus en plus variés, abondants et corrosifs. Seules les grandes tempêtes d'ouest déchiraient parfois ce voile mortel et en jetaient les lambeaux sur les banlieues et les campagnes, foudroyant les corbeaux, derniers oiseaux du ciel, qui tombaient comme des cailloux noirs.

Les rayons du soleil de juillet traversaient la brume translucide, et concentraient leurs calories sous son couvercle. La place de la Concorde, où des contingents multicolores ne cessaient d'arriver, chauffait comme une marmite. Les précautionneuses avaient apporté des cocas et des bières, de l'alcool de menthe et même des litrons, et des tricycles électriques distribuaient des jus de fruits glacés. Mais la fatigue du piétinement se faisait lourde dans la moiteur, et les moins de trois mois, et même les trois semaines dont certaines n'étaient pas certaines, commençaient à s'évanouir par paquets. Les voitures de pompiers à neuf roues, étroites, rapides, articulées comme des mille-pattes, se glissaient dans la foule, pin-pon ! pin-pon ! ceinturaient les groupes, et emportaient les malades vers les hôpitaux en roulant sur les trottoirs.

Mme Jonas, au centre d'un remous de robes rouges, sentit le découragement gagner de l'une à l'autre comme un rhume, et y fit front en se mettant à chanter à tue-tête sa chanson favorite, qui s'élargit de proche en proche jusqu'à la rue Royale, la rue de Rivoli et les quais, et traversa même le pont. Toute la place de la Concorde se mit à plumer l'alouette qui par le bec qui par les pieds, pauvre alouette qu'on plume depuis si longtemps en détail avec tant d'application. Mme Jonas n'aurait même pas plumé une mouche.

Enfin le cortège s'ébranla en direction de l'Étoile, les rouges en tête et au premier rang les plus grosses, dont Roseline et Mme Jonas, les rondes proues en avant vers l'Arc de Triomphe, sur toute la largeur des Champs-Élysées, et *diminuando* derrière, de mois en mois, de couleur en couleur, des fleurs en légumes, jusqu'aux quinze jours et aux espérances tout à fait plates. C'était un arc-en-ciel qui remontait l'Avenue, et aussi un bouquet et une jardinière, une arche et une forêt, toutes les formes de la vie et de la lumière.

Personne ne brandissait de banderole, les gynécologues l'avaient déconseillé, mais le monde entier connaissait la raison du défilé. Dans toutes les capitales, des manifestations semblables auraient lieu jusqu'à la tombée de la nuit, en guirlande le long des fuseaux horaires. C'était une protestation des femmes de toutes nations contre la bombe U. Elles réclamaient, avec leur raison, leur cœur et leur ventre, l'interdiction de la fabrication de la Bombe, et la destruction des stocks.

La tête rouge de l'arc-en-ciel atteignit le Rond-Point et continua vers George-V, suivie de son corps multicolore.

Au-dessus du cortège volait un autogire familial peint d'une tour Eiffel couchée sur laquelle grimpaient des liserons en trompe-l'œil. Il transportait l'organisatrice en chef, professeur de sociologie à Nanterre, mère de cinq enfants et mûrissante du sixième, et un chœur de femmes qui scandait des slogans autour d'un micro.

Un petit émetteur directionnel les envoyait dans l'avenue, où ils étaient hurlés par tous les transistors des manifestantes, épargnant ainsi la fatigue à leurs gosiers.

Mme Jonas avait mis son transistor dans son cabas-mousse accroché à son coude, s'était enfoncé des boules Quiès dans les oreilles et marchait en tricotant une brassière jaune canari. Elle avait tout tricoté en double bien entendu, une layette jaune et une vert bourgeon, pour qu'ils soient gais dès leur naissance, ses chers petits oiseaux. Et elle continuait à fredonner l'alouette, deux mailles à l'envers une maille à l'endroit, je-t'y-plumerai-le-bras. Elle avait une merveilleuse machine à tricoter dans un placard, cadeau de son ex-patron, à double râtelier et réservoir de sécurité, mais elle ne s'en était jamais servie pour ses petits. Elle leur tricotait leur nid avec ses deux mains et son amour. Les oreilles bouchées, les yeux fixés sur son tricot, elle marchait en souriant à ses souvenirs. Chères machines, c'était grâce à elles qu'elle avait rencontré, sur la pelouse de l'Ardoisière... Merveilleuse nuit au bord de la Loire... Et tant d'autres depuis... Chères machines... Elle avait continué à voleter sur la France pendant les six premiers mois de sa grossesse, pour essayer d'en vendre, par pure reconnaissance. Merveilleuses machines... Elles lui avaient tricoté son Jonas...

Roseline lui donna un coup de coude dans la hanche et lui cria en tendant le bras vers le haut de l'Avenue :

— Regarde !

A la hauteur de George-V, c'était la bagarre. Des contre-manifestants débouchaient de toutes les rues et attaquaient le service d'ordre.

— Les tondus ! cria Mme Jonas. Les petits salauds !

Sa voix résonna dans ses oreilles comme dans un puits muré. Elle se souvint de ses boules Quiès et les ôta. Elle entendit alors la bataille des slogans. Deux autres groupes de contre-manifestants, les plus jeunes, remontaient les Champs-Élysées de part et d'autre du cortège, en criant :

Faites la guerre-et pas d'lardons !
Faites la guerre-et pas d'lardons !
Les transistors du cortège répondaient :
La-paix-la-vie pour nos-enfants !
La-paix-la-vie pour nos-enfants !
Les tondus répliquaient :
Les-nanas au-foyer !
Les-nanas au-foyer !

On les appelait les tondus parce qu'ils se rasaient le visage et le crâne en réaction contre leurs pères, les pacifiques barbus des années 70, à qui il avait fallu peu de temps pour devenir de vieilles barbes.

La nouvelle génération était prête à faire n'importe quoi, la révolution, l'incendie, le meurtre, la guerre, pourvu que ça bouge. Garçons et filles, par horreur du poil paternel, s'épilaient le sexe dès l'apparition du premier duvet. Ils étaient chastes, ils étaient violents et durs. Ils s'entraînaient en se frappant la tête avec des briques, pour s'endurcir contre les matraques de la police. Ils avaient le cuir chevelu bourgeonnant de bosses et de cicatrices. Certains étaient capables d'enfoncer une cloison en fonçant dessus la tête en avant.

Ceux qui remontaient l'avenue sur les trottoirs étaient des garçons de moins de quinze ans, et surtout des filles, qui gardaient un ou deux centimètres de cheveux, par un léger souci de différenciation plus que par coquetterie. Elles s'écrasaient la poitrine avec des bandes de toile et se comprimaient les fesses dans des tranches de chambre à air de camions. Avec les jeunes garçons, elles composaient le chœur, elles étaient les vociférantes. Les plus dures descendaient l'avenue avec les tondus de choc, à la rencontre du cortège. On disait que certaines s'étaient fait couper les seins.

Le cordon de police qui s'opposait à la progression des violents fut bousculé mais contre-attaqua, le temps de permettre aux hélicoptères lourds de la Préfecture de police de larguer sur la chaussée des agents casqués de jaune qui se jetèrent dans la bagarre en brandissant leurs matraques blindées. Il y eut un tourbillon atroce à la hauteur de la rue La Boétie. Malgré les hurlements de l'organisatrice, qui ordonnait par tous les transistors au cortège de s'arrêter, celui-ci continua de courir sur son erre, chaque mois poussé par le moindre mois et poussant le mois supérieur. Ainsi les neuf mois, avec tout le poids des mois inférieurs dans le dos, se trouvèrent-elles bientôt pressées contre la mêlée, comme du fromage contre une râpe tournante.

La bombe U. On disait « la Bombu », en abréviation de « bombe universelle », et par une sorte de familiarité effrayante, comme on pourrait être familier avec le diable.

Elle avait relégué au rang de pétard les antiques bombes A, H, et N. Mais plus que sa puissance fabuleuse, ce qui constituait son danger, c'était sa facilité de fabrication et la relative modestie de son prix de revient. Poussés par le flot montant des connaissances, les grands physiciens épouvantés avaient mis au point sa formule un peu partout en même temps, puis les physiciens moindres l'avaient à leur tour découverte avec stupeur, et enfin elle était arrivée jusqu'aux professeurs de lycée et à leurs élèves. Les petites nations s'étaient jetées dessus. Toutes celles qui avaient signé le traité de non-prolifération des armes nucléaires parce qu'elles n'avaient pas les moyens de les fabriquer, se mirent joyeusement à pondre des Bombu. Le temps de l'humiliation devant les grandes puissances était terminé. Les choristes, maintenant, chantaient aussi fort que le ténor et la prima donna, la dissuasion jouait à tous les échelons de la richesse. L'Inde manquait toujours de riz mais possédait assez de bombes pour raser la Chine ; Saint-Domingue était devenu un géant qui menaçait les États-Unis ; la Corse et la Bretagne se fabriquèrent la bombe et obtinrent leur indépendance, qui les embarrassa énormément ; Milan et la Sicile menacèrent de raser Rome ; par précaution le Vatican se la fabriqua aussi ; la Suisse en bourra ses montagnes. La C.G.T., à l'occasion du 1er Mai, en avait promené une douzaine de la Bastille à la Nation, les Petites et Moyennes Entreprises l'avaient aussi, ainsi que les Vignerons du Sud-Ouest, et Nogent et Pontoise, et l'Archevêché de Paris. Une grosse firme de lessive était en train de faire édifier des usines sur les quatre continents pour la produire à la chaîne et la vendre à tempérament.

C'était contre cela que manifestaient en même temps les femmes enceintes de tous les pays. Elles refusaient de donner naissance à des enfants dans un monde fou qui risquait de sauter d'un instant à l'autre. Si la Bombu n'était pas réduite à l'impuissance avant l'automne, elles menaçaient — celles qui seraient encore enceintes et celles qui le seraient devenues — de se faire avorter toutes ensemble le 1er octobre.

Après les vacances...

Mme Jonas aurait accouché avant. Elle défilait par solidarité et conviction mais, Bombu ou pas, JAMAIS elle ne se ferait avorter...

Les transistors ne criaient plus aucun ordre : l'auto-gire de l'organisatrice avait été prié de déguerpir, il gênait les évolutions des appareils de la police. La tête du cortège s'arrêta, mais les autres femmes, des orange aux noires et blanches, continuèrent d'avancer, elles ne savaient pas exactement ce qui se passait, elles voulaient savoir, elles voulaient voir. Sous la lente énorme pression, le corps du cortège gonfla, fit craquer les services d'ordre latéraux, submergea les trottoirs, absorba les curieux et les petits crieurs de slogans, enfonça les vitrines, emplit les boutiques et les couloirs, coula dans les caves et reflua jusqu'aux étages d'où il déborda par les fenêtres.

Devant la tête rouge stoppée tourbillonnait la bataille. Les tondus fonçaient tête en avant vers les ventres des femmes, les policiers les assommaient au passage avec leurs matraques blindées, ils se relevaient, hurlaient des cris de guerre et recommençaient.

Mme Jonas cria des ordres à ses compagnes. A sa voix, les neuf mois se formèrent non en carré mais en rond, le rang extérieur tourné vers l'intérieur, dressant le rempart de ses derrières entre les agresseurs et leurs objectifs. Mme Jonas resta face à l'ennemi, le défiant et l'insultant, en faisant tourbillonner, arme dérisoire, son cabas-mousse lesté du transistor qui chantait « Parlez-moi d'amour ». Un tondu gigantesque, aux muscles de fer, au crâne de pierre, déjà trois fois assommé, se releva, le cuir fendu, saignant, les dents cassées, une oreille pendante, les yeux bouchés, s'ouvrit les paupières avec les doigts, aperçut Mme Jonas dans un nuage rouge, referma les yeux, et fonça vers elle, tête basse, en poussant un cri de dinosaure. Un homme vêtu d'une blouse blanche surgit tout à coup, lui fit un croc-en-jambe et le poussa. Il atterrit sur le nez devant Mme Jonas. Elle s'écarta pour le laisser passer, il glissa sous la forêt de pieds des femmes lourdes, le rond se referma, bougea lentement sur place comme une amibe qui digère un invisible. Ce qui restait de lui fut évacué quatre minutes plus tard par une brèche momentanément ouverte. Cela ne ressemblait plus en rien à un guerrier, je-t'y-plumerai-les-pieds.

Les tondus, obéissant aux coups de sifflets de leurs chefs, rompirent le contact et refluèrent en masse vers la place de l'Étoile où s'étaient posés trois hélicoptères de la police. Sous la grêle de coups des policiers qui leur donnaient la chasse, ils se cramponnèrent aux appareils, les ébranlèrent, les tirèrent, les poussèrent vers l'Arc de Triomphe. Le premier heurta la pile de droite, y brisa son rotor, bascula sur la flamme de l'Inconnu et prit feu. Les deux autres s'écrasèrent sur lui. L'essence explosa. Les tondus hurlèrent de joie. La chaleur du brasier fit reculer les forces de police. Les tondus couraient autour du feu comme des Sioux et y jetaient tout ce qu'ils trouvaient, matraques, casques, képis, poteaux, barrières, poubelles, voitures, puis ils commencèrent à se déshabiller et à y jeter leurs vêtements. La flamme faisait craquer les noms des dix mille batailles inscrites dans la pierre et montait trois fois plus haut que le sommet de l'Arc. Les jeunes démons hurlaient en tournant autour d'elle, garçons et filles nus et glabres comme des statues, alimentant le feu de leur fureur et de leur ferveur envers tous les guerriers morts, dont l'Arc célébrait la gloire dans son apothéose de flamme. Trois garçons, bras-dessus, bras-dessous, se jetèrent dans le feu. Une fille les suivit. Une clameur de joie monta de la foule tournante des adolescents nus. De tous côtés, des garçons et des filles s'arrachaient à la ronde, couraient vers le brasier et sautaient au cœur de la flamme. Elle les recevait en rugissant et montait plus haut encore. C'était l'holocauste, le sacrifice pur, à rien et pour rien. Le vent d'ouest emportait sur Paris la fumée noire et l'odeur d'essence, de caoutchouc et de chair brûlés, avec les jeunes âmes mortes.

Les hélicoptères-citernes avaient noyé le feu et dispersé les enfants nus sous des trombes d'eau glacée. Les policiers les avaient saisis, empilés dans des cars blindés et stockés dans les rues adjacentes. L'Avenue et la Place déblayées, le cortège commença à se dissoudre. Pour hâter sa dislocation, un double pont-roulant d'autocars faisait son plein de femmes aux deux extrémités du cortège et allait les déverser aux stations de métro Auber et Défense, celles des Champs-Élysées et de l'Étoile à Neuilly ne suffisant pas à absorber la foule. Les ambulances ramassaient les femmes évanouies ou blessées, et les nouveau-nés qui avaient été poussés prématurément vers la sortie. Parmi eux se trouvait la fille de Roseline, mauve comme un pétunia.

Toute la circulation s'était figée jusqu'aux portes de Paris. L'embouteillage tentaculaire s'étendit jusqu'à Orléans, Lille, Le Mans, puis atteignit Lyon et Strasbourg puis Marseille et toute la Côte d'Azur et commença à geler l'Allemagne et la Belgique. Il y eut par endroits de l'énervement et des rixes. On joua aussi à la belote et à la pétanque. Et quand la nuit tomba il y eut, dans les voitures immobiles ou les fossés des autoroutes, quelques gestes d'amour.

Ce furent les derniers.

Mme Jonas avait été conduite par un car à la Défense. Guidée, poussée, aidée, portée, elle se trouva finalement engagée dans un escalier mécanique qui descendait vers les profondeurs du métro-express.

Elle se sentait très lasse, malgré sa vaillance. En plus de sa propre fatigue, celle de ses compagnes l'avait peu à peu gagnée des pieds aux épaules comme une marée. Elle soupira. Son bon sens lui disait que toutes ces manifestations ne servaient qu'à exaspérer tout le monde, et à multiplier l'esprit d'agressivité contre lequel elles étaient organisées. Mais il fallait bien faire quelque chose, même l'inutile. Il valait mieux se conduire comme un troupeau de brebis que comme un tas de cailloux. Et qui sait ? Pourquoi pas ? peut-être Quelqu'un, Là-haut, entendrait leurs bêlements et interviendrait...

Un optimisme greffé sur le terrible égoïsme des mères, et qu'absolument rien ne justifiait, lui inspirait la certitude que, d'ailleurs, quoi qu'il arrivât, il n'arriverait rien à ses enfants. Ni à Jonas ni à elle, car alors qui veillerait sur les petits ?

L'escalier la déposa en haut d'une batterie d'autres escaliers, entre les femmes enceintes qui la précé-daient, qui la suivaient et qui l'encadraient. Leur lente masse était peu à peu avalée par les escaliers du bas. Mme Jonas fut avalée à son tour. Elle tenait de la main gauche la rampe mobile, elle ne savait pas où étaient ses pieds, depuis plusieurs semaines il ne lui était plus possible de les voir. Par-dessus son ventre superbe, elle voyait arriver en bas de l'escalier la grande salle souterraine, plate, accablante, uniformément grise de murs et de plafond. Démesurée pour les jambes, étriquée pour les yeux, elle semblait construite en deux dimensions. La foule des femmes enceintes se déplaçait dans cet univers plat, venant d'un bord et se hâtant vers d'autres bords, comme une population de pucerons entre deux feuilles de papier gris.

Pour se réconforter, Mme Jonas regarda le tournesol imprimé sur sa robe rouge. Il la regarda de son grand œil jaune et lui emplit les yeux de la joie du soleil. Perçant la rumeur et la vapeur de la foule, la voix des haut-parleurs de la salle plate se répercuta vingt fois des murs au plafond et parvint aux oreilles qu'elle voulait atteindre :

« On demande Mme Jonas au dispatching... On demande d'urgence Mme Jonas... Mme Jonas est priée de se présenter au dispatching...

Le cœur de Mme Jonas fit un saut et continua de battre à grands coups au-dessus de ceux de ses enfants. Jonas ! Il avait dû arriver quelque chose à Jonas !

L'escalier roulait. Il ne restait plus que quelques marches avant le sol horizontal. Mme Jonas ne voyait pas ses pieds, ne voyait plus le tournesol, ne voyait qu'une brume jaune, bleue et grise. Elle se sentit très mal, une douleur violente lui serra tout à coup le ventre entre deux mains géantes. Elle cria. La voix creuse des haut-parleurs reprit :

« On demande Mme Jonas au dispatching... » Elle ne savait pas où était le dispatching, elle ne savait pas ce que c'était, le dispatching, elle avait envie de se coucher, de se coucher et de s'ouvrir, est-ce qu'on peut accoucher au dispatching ? La dernière marche la confia rudement au sol immobile. Elle dérapa et bascula en avant. Un homme vêtu d'une blouse blanche la rattrapa et l'empêcha de tomber. Il était très fort et très courtois. Il la conduisit au dispatching. C'était tout près. Il l'y fit entrer, et personne de ce monde ne la revit jamais.

M. Jonas revenait de Sydney à bord du *Super-Concorde* direct. Cent-quatre-vingts passagers à mach-4. Il aimait ces voyages aériens loin au-dessus des nuages, où les paysages ne viennent pas vous tirer par les yeux. Horizon absent, silence presque parfait, voisins indifférents, bonnes conditions de travail. Il avait posé sur la tablette devant lui son petit carnet et, d'une écriture précise, il y traçait la piste d'un problème qui le tracassait depuis son départ de Paris. La voix paisible du commandant de bord annonça en français, puis dans un anglais à l'accent de classe de sixième, que l'appareil survolait la Mer Rouge. Un passager se pencha vers un hublot. Il ne vit ni mer ni rouge, rien qu'un plancher vaporeux et blanchâtre, très bas, très bas. La Terre était quelque part au-dessous, avec ses mers et ses continents, devenus abstraits.

Deux hôtesses ravissantes, une verte, une canari, poussant-tirant leur petit chariot, proposaient des boissons. M. Jonas soupira d'aise et demanda du champagne. Le champagne faisait pour lui partie de l'euphorie du voyage aérien. L'hôtesse en robe verte lui tendit un verre pétillant, avec un sourire. Jonas lui rendit un sourire deux fois plus grand. Il était heureux : dans une semaine, peut-être avant, il serait père... Silencieusement, il souhaita à l'hôtesse verte, et à la jaune aussi, d'avoir beaucoup de beaux enfants.

Elles-mêmes, peut-être, n'en souhaitaient pas tant.

Il but la moitié du verre, et quelques secondes plus tard, s'endormit. Il se réveilla sur un divan de cuir havane, dans une pièce inconnue et déserte...

Rien n'étonne un homme de science. Ce qui était inexplicable s'explique quand ce qui était inconnu devient connu. M. Jonas ne s'étonna pas. Comment était-il venu ici ? Pourquoi s'y trouvait-il ? Il le saurait le moment venu. Il pouvait déjà presque répondre à la question « où était-il ? » car, à travers un mur de verre il voyait, tout près, le plus haut toit de la Basilique du Sacré-Cœur, comme le crâne d'un voisin chauve derrière la vitre.

Il se leva et vint regarder à travers le mur. Il vit, derrière le Sacré-Cœur, Paris descendre vers la Seine puis remonter vers Meudon. Il y avait de la fumée vers l'Arc de Triomphe. Il pensa qu'il devait se trouver dans un des étages supérieurs de la Tour Montmartre, récemment achevée sur le versant nord de la Butte.

Mais chez qui ?

Il fit demi-tour et regarda la pièce, vit quelques meubles discrets mais anciens, de très grande valeur, et trois fauteuils et le divan modernes, très confortables. Quelques revues scientifiques, et d'autres plus banales, posées avec un rien de désordre parfait, sur une table basse en faux-marbre italien sous la surface duquel avaient été incorporées des feuilles mortes, comme si l'automne, cette nuit, était passé par là. Dressée dans le coin de deux murs, une dent de narval en ivoire torsadé, jauni par les siècles, touchait presque le plafond. Sur la cheminée blanche style Belle Époque, deux dents de mammouth pétrifiées encadraient une tête de dieu grec au nez cassé et à la bouche ébréchée. Ces divers objets firent penser à M. Jonas qu'il se trouvait dans le salon d'attente d'un dentiste de luxe. Avait-il été victime d'une brutale infection dentaire qui lui avait fait perdre connaissance ? Il en douta. Ses dents étaient excellentes. Il se tâta les mâchoires. Mal nulle part...

Il écouta.

Traversant la porte la plus proche lui parvenait une rumeur étouffée, toute la vie de l'étage filtrée par les cloisons. Tout près, mais à peine audibles, des ronronnements de machines électroniques, des allô-oui-j'écoute et des bribes de conversations téléphoniques ébauchées, interrompues. Un secrétariat...

Il tourna la poignée mais la porte ne s'ouvrit pas. Il frappa la porte à coups de poings puis de pieds. Sans colère, mais pour se faire entendre. Rien. Les dactylos continuèrent de dactyler, et les téléphonistes de répondre et d'appeler le mystère. Les deux autres portes ne voulurent pas davantage s'ouvrir. M. Jonas trouva discourtois d'avoir été enfermé, et saisit la dent de narval pour s'ouvrir avec elle une issue. Son extrême légèreté surprit ses muscles qui s'étaient tendus pour un gros effort. Il la regarda de plus près. Dans la texture de l'ivoire doré par le temps brillait comme une poussière de diamants.

Une voix d'homme, très calme, parla derrière lui.

— Regardez-la bien, monsieur Jonas...

Il se tourna, mais il était toujours seul dans la pièce. La voix continuait :

— Vous n'avez jamais rien vu de pareil : ce n'est pas une dent de narval, mais une authentique corne de licorne. Elle est bien plus ancienne que tout ce que vous pourriez imaginer. Posez-la, vous la briseriez, les portes sont en acier. Je sais que vous n'aimez pas les raisonnements et les efforts inutiles, parce que leur inutilité les rend absurdes. Dans quelques minutes, tout vous sera expliqué.

M. Jonas, debout, l'arme au pied devant un aquarium où se déplaçait avec nonchalance un poisson somptueux comme un empereur qu'on va couronner, se rendit compte qu'il avait l'air d'un garde suisse en civil. Il posa la corne dans le coin où il l'avait prise. Il demanda :

— Qui êtes-vous ?

— Vous le saurez aussi. Je m'excuse d'avoir dû vous

faire conduire ici sans vous demander votre assentiment. C'était pour gagner du temps. Le coffre de corsaire devant vous est un réfrigérateur. Vous y trouverez de quoi boire et des sandwiches au saucisson. Je sais que vous le préférez au caviar. Mme Jonas va bien.

La voix se tut. M. Jonas ne posa plus de question puisque c'était inutile, il mangea parce qu'il avait faim, but pour se donner du tonus, et en attendant, puisqu'il fallait attendre, il ouvrit le *Scientific American*.

Un immense bouquet de mille fleurs diverses jaillis-
sait hors d'un grand vase de Chine posé sur un tapis
persan à personnages, au pied du mur de verre. Sous le
tapis, la moquette épaisse avait la couleur, la douceur
et la fraîcheur de la mousse. M. Gé s'approcha d'une
rose rose aussi grande que lui, lui sourit, la respira en
fermant les yeux de plaisir, posa ses lèvres sur ses
lèvres, rouvrit les yeux et regarda Paris à travers les
grappes jaunes d'une branche de cytise. Le soleil
s'inclinait vers l'ouest dans une brume rouge, et glaçait
de rose les toits de la ville biscornue, accroupie sur ses
trésors. Tout cela, l'éphémère et l'irremplaçable, allait
disparaître, et tout le reste aussi, avant que le jour fût
fini. C'était M. Gé qui en avait décidé ainsi, avec
quelque regret. Sans trop. Il ne pouvait faire autrement, ni attendre davantage.

Il vint s'asseoir à son bureau. C'était un ovale
d'acajou nu, avec une encoche en croissant pour le
fauteuil.

A droite de sa main droite, dans le bois rouge
sombre, quelques taches rondes, de couleurs diverses,
luisaient d'une faible lueur. Il posa le bout de l'index sur
la tache rouge.

La voix de son premier secrétaire répondit aussitôt, interrogative :

— Oui monsieur ?

— Vous allez bien, Harold ? Vous êtes heureux ?

Douze étages plus bas, seul dans son bureau insonorisé, assis devant sept téléphones amplirépétiteurs et un clavier de cent quarante-deux commandes, tournant le dos au mur de verre, Harold se permit de prendre une expression légèrement étonnée, mais n'en laissa rien paraître dans sa voix.

— Oui monsieur, je vous remercie...

— C'est bien Harold, c'est très bien, j'en suis satisfait...

Il y eut un court silence. Harold attendait, M. Gé retardait d'une seconde et quelques centièmes le moment de prononcer les premiers mots de la situation nouvelle, qui allaient commencer à ouvrir la faille entre l'habituel et le définitif. Au-dessus du bouquet, le rouge du ciel donnait au passage une joue rose au Sacré-Cœur, entrait et allumait les marguerites, ourlait d'orange le cytise, exaltait les roses et émouvait délicatement la veste blanche de M. Gé, boutonnée jusqu'au cou.

— Harold...

— Oui monsieur ?

— Je ne veux plus être dérangé, ne m'appelez plus, coupez tous les circuits, éteignez les récepteurs, laissez-moi seulement le contact avec ma maison.

— Bien monsieur. Mais nous attendons un appel du Premier britannique, et un du Vatican... Le pape désirerait obtenir votre aide pour...

— Qu'il s'adresse à Dieu, Harold... L'équipe du soir est arrivée ?

— Bien sûr, monsieur.

— Renvoyez tout le monde...

— Mais !...

— Une semaine de vacances... Et dites à tous que je double les appointements... Je triple les vôtres, Harold...

— Monsieur, je... Je ne sais comment...

— Ne dites rien... Quand on se croit obligé d'exprimer sa gratitude, on perd la moitié de sa joie... Estimez-vous que c'est trop ?

— Oh, ce n'est jamais trop !...

— Vous voyez bien... Faites donner à chacun une prime de six mois, qu'ils la touchent avant de partir. Il y assez de liquide en caisse ?

— Certainement... Puis-je vous demander, monsieur ?... Est-ce que vous fêtez un événement agréable ?... Vous est-il arrivé quelque chose ?

— Non, pas encore, Harold, merci...

— Ils vont être très heureux, monsieur, mais tout le travail va prendre un retard effrayant !...

— Aucune importance, Harold, ce qui est important c'est qu'il y ait le plus possible de gens heureux ce soir.

— Moi je commence à être inquiet...

— Ne cherchez pas à être trop intelligent... Prenez ce qui se présente. Si c'est une fleur, cueillez-la. Si le loup vient ensuite, il est toujours temps de se faire mordre. Coupez tout ! Bonsoir Harold !

— Bonsoir, Monsieur...

Les petites taches rondes colorées dans l'acajou du bureau s'éteignirent, sauf une, bleue, un peu à l'écart des autres. M. Gé l'effleura du bout du doigt. Une partie du bureau glissa, découvrant un écran de télévision. L'écran devint lumineux mais resta vide. M. Gé posa trois fois, légèrement, son doigt sur la tache bleue. Dans l'écran apparut une fille aux longs cheveux dorés, qui dormait nue sur un lit de fourrure vert pâle aux poils très ras. Elle s'était endormie de profil, les deux mains sous une joue, les genoux inégalement relevés vers sa poitrine, découvrant avec candeur son sexe clos comme la porte d'une maison convenable.

M. Gé avait des domiciles toujours prêts à le recevoir un peu partout dans le monde, dont plusieurs à Paris. Il préférait à tous les autres celui qu'il nommait « ma maison ». Il avait acheté le Parc de Saint-Cloud et y avait fait construire quelque chose d'incomparable dans le mystère des arbres, avec des prolongements sous la colline, un pont privé pour franchir la Seine et une clairière fleurie pour recevoir ses avions et ses hélicoptères silencieux.

Au cœur de la maison, la fille de la veille dormait encore, et celle du jour dormait déjà. Celle-ci était une Japonaise, l'autre une Finlandaise. Les collaborateurs de M. Gé qui lui choisissaient ses femmes sur tous les continents connaissaient ses goûts : il les désirait, quelle que fût leur race, jeunes, minces mais pas maigres, avec une peau douce, des seins bien tenus et un joli visage. Il en changeait chaque jour afin de ne pas s'attacher. Souvent il n'avait même pas le temps de les voir, mais il aimait, lorsqu'il disposait d'un quart d'heure, en trouver une sous sa main, tiède, lisse, bien payée, sans curiosité ni avidité. Il lui parlait doucement et la caressait comme une pierre polie qui s'est chauffée au soleil. Si elle parlait, il l'écoutait en souriant. Il lui faisait « chûût !... » quand elle parlait un peu fort. Ce qu'elle disait n'avait aucune importance. Elle pouvait parler dans n'importe quelle langue, M. Gé la comprenait. Parfois il s'en trouvait une exceptionnellement belle et lumineuse. Alors, pour la remercier d'être ce qu'elle était, M. Gé lui faisait l'amour, pour elle, rapidement car il n'avait jamais le temps, mais sans hâte. Elle en revenait éperdue, transformée dans sa chair et dans son âme, il lui semblait que cela avait duré des semaines, elle n'avait jamais connu un tel bouleversement, quelles que fussent ses précédentes expériences. Elle aurait voulu recommencer tout de suite et sans arrêt, jusqu'à l'éternité. M. Gé la faisait repartir aussitôt, non sans quelque mélancolie.

Elles venaient de toutes les tranches du monde, et les décalages horaires perturbaient leur sommeil. Certaines ne parvenaient pas à fermer l'œil, et passaient leur journée à découvrir la maison, ses penderies vastes comme des salons, avec des peuples verticaux de manteaux de fourrure et de robes de soie et d'or. Elles en essayaient vingt, cent, il y en avait tellement que l'envie leur passait. On leur avait dit qu'elles pouvaient emporter tout ce qu'elles voudraient. La plupart étaient trop embarrassées pour bien choisir. Quelques-unes se servaient avec discernement. Celles qui avaient fait l'amour ne prenaient rien. Au contraire. Elles s'arrangeaient pour laisser quelque chose d'elles, un mouchoir, un slip qui portait leur parfum, dans la chambre, dans un coin du lit, un tiroir, près d'un miroir, avec l'espoir que M. Gé s'y accrocherait, se souviendrait, les rappellerait...

Mais ce n'était jamais la même chambre qui servait.

La maison de M. Gé était très grande. Celles qui avaient voulu la connaître tout entière n'y étaient pas parvenues. Elles se promenaient nues interminablement sur des tapis ou des mosaïques, entre des miroirs, des tableaux, des statues, des fenêtres qui s'ouvraient sur des parcs où passaient des biches, sur des gazons picorés de merles, des épanouissements de fleurs gorgées de couleurs. Elles traversaient des jardins intérieurs, des piscines en pente douce dont l'eau avait la tiédeur de leur peau, elles trouvaient des fruits et des nourritures menues, exquises, sur des tables de dentelle, sur des cheminées de marbre, sur le plateau d'un valet qui ne disait rien et ne les regardait pas. Il y avait toujours une autre pièce, avec des meubles, des plantes et des oiseaux, une autre piscine d'une autre forme et d'une autre couleur, un grand chien couché qui agitait la queue à leur passage comme s'il les connaissait depuis toujours, de lents escaliers auxquels elles ne montaient pas, car elles avaient déjà tellement à voir sans monter... Elles ne trouvaient jamais le bout de la maison. Un peu lassées mais non lasses, elles ouvraient encore une porte : c'était celle de la chambre, où M. Gé arrivait.

D'autres passaient leur temps à dormir. Silfrid, la Finlandaise, fut réveillée par la voix de M. Gé qui lui parlait dans sa langue. Elle se redressa, regarda autour d'elle, elle ne le vit pas, elle s'effraya un peu.

— Ne t'inquiète pas, lui dit M. Gé, je te parle de mon bureau... Écoute-moi bien, le temps devient court, écoute-moi et réponds : y-a-t-il quelque chose que tu aurais envie de faire — une envie folle... et que tu n'aurais jamais pu faire ?

Silfrid, étonnée, un peu ensommeillée, hésita puis fit une moue et dit non.

— Réveille-toi ! Réfléchis ! Une chose que tu n'as jamais osé faire, maintenant tu peux, et il faut la faire vite, vite !...

— Mais quoi ?

— Casser tous les miroirs !... Mettre le feu à la maison !... Faire l'amour avec mon chien danois !...

— Vous êtes fou !... C'est dégoûtant !...

— Tu es une fille sage... Bon... Tu as tout de même bien une envie secrète ?... Des bijoux ? de l'or ? des diamants ?

— Si vous voulez me donner encore un petit quelque chose, j'aimerais mieux des dollars...

— Qu'est-ce que tu veux en faire ?

— Je veux monter une ferme modèle... il me faudrait au moins cinq cents vaches...

— Seigneur ! Des vaches !... dit M. Gé.

— Du lait... dit Silfrid, émerveillée.

Distraitement, par association d'idée inconsciente, elle se gratta le bout du sein droit.

— Trop tard, la ferme... Je ne peux rien pour toi, dit M. Gé. Adieu mon pigeon...

— Attendez ! Si ! Il y a quelque chose que j'aime ! je viens d'y penser !...

M. Gé la voyait, assise comme une petite déesse sur la fourrure verte, ses bras serrés autour des genoux, son menton posé dessus, la tête un peu inclinée, avec ses longs cheveux qui coulaient sur le côté droit. Mais elle ne le voyait pas, et elle trouvait gênant de parler à un invisible. Alors elle parla pour elle-même, doucement.

— Des perles... dit-elle dans un souffle.

— Bravo, dit M. Gé. Ça, je peux... Tu vois le tableau en face de toi, au mur ?

C'était le *Printemps*, de Botticelli. L'original. Celui de Florence était une bonne copie.

— Oui, je le vois, dit Silfrid. Je l'ai déjà vu sur un timbre-poste...

— Tu l'aimes ?

— Boff...

M. Gé invisible sourit.

— Approche-toi du tableau...

Elle se déplia et descendit du lit.

— Tu es très belle... Tu sais marcher nue... Il y a très peu de femmes qui savent... Ou elles ont peur, elles se recroquevillent, ou elles s'étalent comme de la pâte qui a perdu son moule.

— Vous me voyez ?

Instinctivement, elle posa une main sur sa poitrine et l'autre au bas de son ventre.

— Je vois tout..., dit M. Gé. Ne te ferme pas !... Laisse-moi te regarder une dernière fois. Il faut toujours que vous fermiez quelque chose de vous ! votre tête, votre cœur ou votre sexe, ou les trois... Vous croyez vous mettre à l'abri... Vous ne faites que meurtrir les hommes qui vous aiment. Vous les obligez, pour vous connaître, à se transformer en conquérants. Alors ils fabriquent les Bombes... Ce n'est pas le monde qu'ils veulent détruire, c'est le mur derrière lequel vous vous cachez...

Silfrid écoutait ce discours sans le comprendre. Elle était arrivée devant le tableau. Maintenant qu'elle se savait regardée, elle ne savait que faire de ses mains. Elle les laissa pendre, puis les croisa derrière son dos.

— Bon, dit M. Gé, tu ne m'as même pas entendu... Quand on parle à une femme d'être ouverte et vraie, c'est comme si on parlait à un oiseau le langage des poissons. Ça n'entre même pas dans ses oreilles. Les tiennes sont ravissantes, quand on les voit. Tout cela n'a d'ailleurs plus aucune importance, ni tes oreilles ni ce que je leur dis. Il y a des siècles que je n'avais pas autant parlé à une femme. Tourne-toi, que je te regarde encore... Tu es la dernière, pour longtemps... Mets tes mains sur la tête, comme des fleurs... Tourne doucement... Tu es belle. Je te remercie... Maintenant, viens te placer devant la dame qui porte une robe fleurie, et pose ton doigt sur son gros orteil.

— Mais...

— Pose !... Maintenant, appuie !...

Elle appuya. Elle sentit un petit frémissement sous son doigt, puis le tableau monta sans bruit vers le plafond. Dans le mur dégagé une porte s'ouvrit, une lumière douce et blanche s'alluma, éclairant une piscine en forme d'œuf coupé dans le sens de la longueur. Elle était assez longue et large pour qu'on y pût nager un peu, mais assez petite pour rester intime. Le mur en voûte au-dessus d'elle formait l'autre moitié de l'œuf. Il était de mosaïque blanche et crème, avec des taches d'or.

La piscine était pleine de lait.

Du moins Silfrid crut-elle tout d'abord que c'était du lait car son esprit n'acceptait pas l'image que ses yeux lui envoyaient. Quand elle comprit, elle fit « ho ! »

71

comme si elle recevait un coup, et tomba à genoux.

— Ce sont les perles que mes ancêtres ont collectionnées depuis la Tour de Babel, dit M. Gé. Elles sont à toi. Aime-les vite...

Silfrid posa ses mains à plat sur les perles. Elle les sentit tièdes, et fraîches, contre ses paumes, rondes comme de la semoule sur la langue. Lentement, elle s'allongea et se coucha sur elles, les bras étendus comme si elle avait plongé. Les perles s'écartèrent avec tendresse autour de ses seins, pour leur faire une place parmi elles. Silfrid flottait sur une mer de lait et de lumière. Elle la caressa, d'une joue, de l'autre, se retourna sur le côté, sur le dos, ramena ses bras le long de son corps. Elle commença à s'enfoncer lentement, par les talons. Elle prit des perles plein les mains, les fit couler sur son ventre et le caressa doucement avec elles, en fit couler sur son visage, sur ses lèvres, sur ses yeux fermés. Elles étaient tièdes, elles étaient fraîches, elles faisaient un bruit de ruisseau léger, elles sentaient de très loin l'odeur de la mer, comme apportée par le vent au-dessus d'un désert de sable vierge d'eau depuis dix mille années. Elle rouvrit les yeux et redressa un peu le buste, pour les regarder en les faisant couler sur ses épaules et sa poitrine. Certaines rebondissaient sur la pointe dure et tendre de ses seins. La plupart étaient roses comme du lait à l'aube, d'autres bleues comme le blanc de ses yeux, ou dorées comme l'extrémité du plus petit des orteils de son pied gauche. Il y en avait qui étaient sombres, presque noires presque rouges, comme une braise éteinte dans la nuit, comme l'ombre dans l'ombre au bas de son doux ventre lisse.

Elle s'allongea de nouveau, ferma les yeux et enfonça ses mains dans les perles jusqu'à ce qu'elle en sentit la douceur et la fraîcheur se fermer autour de ses poignets, puis de ses coudes. Elle soupira de bonheur. Elle était portée par un nuage. Tout son corps se relaxait, chaque parcelle d'elle-même se reposait sur une goutte de lumière. Elle sut qu'elle allait dormir comme personne au monde n'avait jamais dormi. Le peuple des perles doucement s'écartait sous sa nuque, sous ses reins, s'arrondissait sous ses rondeurs, roulait au-dessous d'elle, et, peu à peu, roulait au-dessus.

Jonas entra et vit d'abord le grand bouquet éclaboussé de rouge par le soleil couchant, à côté duquel se tenait un homme vêtu de blanc. L'homme était ourlé de rouge, et les fleurs étaient aussi grandes que l'homme.

— Regardez-les bien, dit celui-ci, ce sont les dernières...

D'un geste du bras, il montra le mur de verre :

— Voyez... On dirait que Paris a déjà disparu...

Les rayons du soleil couchant ne parvenaient plus à percer la brume, et, vu du haut de la Tour, Paris semblait enseveli sous la fumée de son propre incendie que perçaient seules les. cimes massives des autres tours, et, pointue, celle de la vieille et la plus légère, Eiffel, la grand'mère.

L'homme blanc désigna un fauteuil à Jonas et alla s'asseoir derrière son bureau.

— Monsieur Jonas vous êtes intelligent, c'est pour cela que je vous ai choisi... Je vous demande de m'écouter avec votre intelligence, en maîtrisant vos réflexes émotionnels. Vous me reconnaissez ? Vous savez qui je suis ?...

Jonas le regarda avec plus d'application.

— Il me semble que... Mais je ne prête pas une grande attention aux physionomies...

— Je suis Monsieur Gé, dit M. Gé.

— Ah !... En effet !...

Il le reconnaissait. Il avait eu comme tout le monde l'occasion de voir sa photo dans des journaux ou des revues. Sa petite barbe blanche ronde était unique au monde. M. Gé, c'était l'homme qui vendait de l'uranium, du pétrole, des armées, la récolte tout entière du blé de l'Ukraine, des flottes, des Républiques, des quartiers de Lune. Il était plus riche que les plus riches nations, plus puissant que les plus puissantes.

— Je suis un marchand, dit M. Gé. Je vends ce que mes clients me demandent. Du pain ou des bombes. Depuis quelque temps ils me demandent surtout des bombes... Par ma situation et mes correspondants, je suis à même de savoir, mieux que n'importe quel Service Secret, combien il y en a dans le monde.

— Il y en a beaucoup... dit Jonas.

— Il va bientôt y en avoir trop... Vous savez qu'on n'a jamais essayé les bombes U. Leur puissance est théoriquement si grande qu'on a craint qu'une simple expérience causât des catastrophes.

— Hh... hh... dit Jonas, qui savait tout cela.

— La catastrophe aurait été bien pire qu'on ne le pensait. Vous avez eu connaissance du rapport To-Hu ?

— Hh... hh... dit Jonas. Ce n'est pas sérieux.

— Qu'en savez-vous ?

— Le Zen, je ne suis ni pour ni contre, mais ce n'est pas scientifique... To-Hu prétend que les bombes U sont yin, et tellement yin que si l'une d'elles saute elle libérera tout le yin des autres, qui sauteront à leur tour... C'est infantile... Nous ne sommes plus au temps des samouraïs...

M. Gé sourit, se leva, et, nonchalant, vint cueillir une rose dans le bouquet. Le soleil touchait l'horizon brumeux. Il prenait la couleur du fer fondu et s'aplatissait comme le jaune d'un œuf mollet.

— En terme scientifique, dit M. Gé, cela pourrait signifier que l'explosion d'une bombe ferait entrer en résonance les autres bombes, tout au moins celles qui se trouveraient à proximité. Et que les explosions se succéderaient de proche en proche...

— On peut supposer tout ce qu'on veut, on ne peut rien vérifier.

— La vérification est possible avec des micro-bombes...

— Elles coûteraient dix mille fois plus cher à fabriquer que des bombes normales.

— Normales... si l'on peut dire ! dit M. Gé en respirant la rose.

Jonas sourit. Il était heureux de se trouver en face d'un homme intelligent. Il ne redoutait rien tant au monde que les imbéciles, et il en rencontrait beaucoup, même aux niveaux les plus élevés de la connaissance. Pour un esprit intelligent, sans mesquinerie, sans parti-pris, plein de curiosité et d'humour, et qui comprend au centième de seconde, c'est une grande et rare satisfaction de se frotter à un autre esprit de même qualité. Il avait suffi de quelques mots, d'un sourire, pour que Jonas se rendît compte que l'intelligence de M. Gé était sans contrainte, et peut-être, comme la bombe, universelle.

Il était ravi. Il avait oublié les circonstances de son arrivée, elles n'avaient aucune importance, il avait oublié qu'il rentrait rapidement de Sydney parce que sa femme était sur le point d'accoucher, il avait oublié qu'il était marié...

— J'ai vérifié, dit M. Gé.

Il s'était assis au bord de son bureau, face à Jonas, et caressait avec la rose le creux de sa main gauche arrondie autour d'elle.

— Vous ?

— J'étais sans doute le seul au monde à pouvoir le faire. J'ai les moyens... Mes collaborateurs ont fabriqué deux microbombes d'un carat, nous en avons fait exploser une dans un silo de plomb de trois mètres d'épaisseur. Il a été volatilisé avec la montagne qui l'abritait. C'était un mont du Ko-i-Baba, en Afghanistan. La deuxième microbombe, enfouie sous cinquante mètres de béton, à 90 kilomètres de la première, a sauté 5 secondes plus tard... Toute cette région du globe en a été quelque peu ébranlée. C'était en avril dernier...

— Ce tremblement de terre du 12 avril ?... C'était... ?

— C'était cela...

Jonas regarda M. Gé avec un peu d'étonnement. Il lui apparaissait brusquement sous un autre jour. Il murmura :

— Cent vingt mille morts...

— Ne vous laissez pas dominer par l'émotion, monsieur Jonas... Ou alors laissez-vous aller, en imaginant ce qui se passera quand les bombes U éclateront. Quand elles éclateront *toutes*. Car To-Hu a raison...

Jonas blêmit. Il se retrouva tout à coup avec sa femme et ses enfants pas encore nés mais déjà si présents. Il fit le geste de les serrer contre lui, de fermer autour d'eux l'abri de ses bras.

L'effroyable danger ne concernait pas seulement l'humanité entière, mais eux, les siens, ceux qu'il aimait...

On s'imagine toujours que le cataclysme s'arrêtera à quelques mètres et que s'il n'y a qu'un rescapé on sera celui-là, avec ceux qu'on chérit et qui font partie de soi. Mais cette fois-ci il n'y aurait pas de rescapé, pas un seul...

— Il ne restera pas un brin d'herbe.. pas une fourmi... Mais pourquoi sauteraient-elles ? Il faudrait un fou !

— Ça ne manque pas, dit M. Gé paisiblement. Vous le savez bien... Et même sans cela : il suffit d'un accident... Les lois de la probabilité le rendent de plus en plus inévitable à mesure que le nombre des bombes grandit. Mais ce cataclysme total que vous imaginez n'est pas ce qu'il y a de pire... Si les bombes sautent aujourd'hui, toutes traces de vie disparaîtront de la surface de la Terre, les continents seront labourés et vitrifiés, les océans entreront en ébullition, les eaux bouillantes submergeront les terres, les Parisiens seront cuits au court-bouillon après avoir été rôtis. Mais il y aura une rescapée:...

— Qui ?

— La Terre, dit M. Gé. Elle sera râpée, flambée, ébouillantée, elle basculera peut-être, fera des pirouettes, changera de cap, mais elle subsistera. Et un jour ou l'autre, quand elle se sera stabilisée sur un nouvel itinéraire céleste, quand elle aura remis à leur place ses eaux et ses terres couronnées de l'air refroidi, quand les radiations se seront éteintes, un jour, la vie pourra recommencer... Mais nous sommes à l'ultime limite de cette possibilité. Le nombre des bombes augmente chaque jour, et à partir d'une certaine quantité la Terre elle-même sera détruite, cassée en morceaux, répandue en miettes et en poussière sur son vieux chemin du ciel. Demain l'usine australienne de la G.P.A. commence sa reproduction... Regardez...

M. Gé fit un geste vers un mur. Un écran s'y alluma, montrant au premier plan une sorte d'anus rouge, un cul de poule gigantesque en plastique mou, vertical, qui pondait à intervalle régulier des sphères verdâtres grosses comme des têtes d'homme. Elles sortaient avec un bruit mouillé, obscène, pfchluitt... pfchluitt..., tombaient sur un tapis de mousse élastique et roulaient vers un trou bleu-nuit qui les aspirait : fhhup... fhhup...

— Des bombes ? demanda M. Jonas effaré.

— Factices, dit M. Gé. Répétition de la chaîne de fabrication. Mais demain matin à 6 heures, heure locale, la production véritable commencera. En une demi-journée, il y en aura assez pour que la Terre soit condamnée à l'éparpillement, et la résurrection de la vie impossible. Demain soir il sera définitivement trop tard... C'est pourquoi j'ai décidé de faire sauter les bombes aujourd'hui.

Jonas sauta dans son fauteuil. M. Gé le calma d'un geste de la rose.

— Ne me dites pas que je suis fou, ce serait bien conventionnel... Et surtout ce serait faux : je serais fou si, ayant la possibilité de sauver la Terre, je la laissais détruire... Le mois dernier, la République indépendante de l'île de Tasmanie, au sud de l'Australie, m'a acheté une Bombe U... Cette bombe sautera quand je poserai mon doigt ici...

M. Gé tira d'une poche de son veston un objet qui ressemblait à un étui à cigarettes en or extra-plat. Il l'ouvrit et le posa sur son bureau. Jonas vit à la place des cigarettes deux boutons rectangulaires, un vert et un rouge, entourés de velours noir.

— Sur celui-ci, dit M. Gé.

Et il posa son doigt sur le bouton rouge.

Jonas se dressa, blême.

— Attention !...

— C'est fait, dit M. Gé très calmement... Elle a sauté... La vague d'explosions va s'étendre à la vitesse d'environ mille kilomètres à la minute. Nous sommes aux antipodes : vingt mille kilomètres en ligne droite...

— Courbe !... dit Jonas.

M. Gé acquiesça en souriant :

— Pour nos yeux de rampants, à cette échelle, c'est la même chose... La bombe que l'Archevêché a déposée dans le Trésor du Sacré-Cœur, avec les reliques de Jean XXIII et la bannière des Enfants de Marie en soie naturelle sautera dans vingt minutes...

Mme Jonas dormait. Deux hommes en blanc l'avaient conduite, à travers le dispatching, jusqu'à un ascenseur, puis à un hélicoptère-ambulance. A ses questions ils avaient répondu qu'ils la conduisaient à la clinique d'accouchement et qu'elle y retrouverait son mari, c'était lui-même qui les avait envoyés la chercher. D'ailleurs ils le croyaient.

Mme Jonas s'était calmée, Jonas, son Henri était là, il avait pensé à elle, il avait tout prévu, il était merveilleux... AAAïe ! Une nouvelle contraction lui tordait le ventre. Elle fit la respiration haletante, comme on lui avait appris. Elle s'efforça de penser à autre chose. A quoi ? C'est facile à dire, avant ! Aaaïe !

— Je vais vous faire une piqûre, dit un des hommes en blanc, celui qui avait le nez rouge et de gros sourcils noirs... Pour vous retarder un peu...

— Je veux bien... Aaah !... dit Mme Jonas... J'ai pas envie... d'accoucher ici !...

Sa robe était sans manche. L'homme en blanc approcha du haut de son bras un pistolet à injection. Il y eut un tout petit bruit, elle ne sentit rien, mais tout à coup se trouva mieux. Son ventre se détendit, elle fut extraordinairement soulagée, et s'endormit dans le bourdonnement du moteur du gros insecte.

L'hélicoptère se posa au sommet de la tour Montmartre. Les deux hommes firent rouler la couchette jusqu'à l'ascenseur privé de M. Gé, refermèrent la porte en restant à l'extérieur, remontèrent dans l'hélicoptère, et s'envolèrent vers le sort commun, qu'ils ne soupçonnaient pas. Mme Jonas descendit mollement cinq étages, sans se réveiller.

— Je ne comprends pas pourquoi je suis ici, dit Jonas, mais puisque vous êtes si puissant, je suppose que vous avez la possibilité de me faire transporter rapidement chez moi ? je désire mourir auprès de ma femme...

— Qui vous parle de mourir, M. Jonas ? Si je vous ai fait conduire ici sans vous consulter — je vous prie de m'en excuser — ce n'est pas pour vous laisser mourir, mais pour vous sauver...

— Me sauver ? Moi ? Pourquoi moi ?

— L'Arche a besoin de vous...

Jonas regarda M. Gé avec inquiétude. Il imita de la main le mouvement d'un vaisseau ballotté par les vagues, et exprima son étonnement :

— L'Arche ?...

— Non, dit M. Gé, l'Arche...

Il pointa l'index de sa main droite vers le sol.

... enterrée !... Sous trois mille mètres de roches, de sable, d'acier, et d'or... Vous n'imaginez pas ce que ça a coûté !... Ce que j'ai construit là, aucun gouvernement n'était assez riche pour le faire...

— Ils se sont tous fait construire des abris...

— De la bricole ! Quelques mètres de béton et quelques tonnes de conserves, avec des prières pour que le vent pousse les radiations chez le voisin... S'ils ont le temps d'y entrer, ils en sortiront dans quelques mois, et ils seront frits !... Ce n'est pas sérieux !... Les hommes d'État n'ont ni le temps ni l'habitude de prévoir. Ils vivent au jour le jour, tous les événements les surprennent, et les problèmes qu'ils s'efforcent de résoudre sont ceux de la veille ou de l'avant-veille, qu'ils n'ont d'ailleurs pas encore compris. Pour des lendemains un peu amples, il faut l'initiative privée... L'Arche va partir pour un long voyage immobile. Tout est automatique à bord. C'est un navire qui n'a pas besoin d'équipage. Mais il lui faut un capitaine qui soit assez qualifié pour faire face aux incidents, et qui, à l'arrivée, préside à la redistribution de la vie dans le désert et le chaos... Ça ne vous tente pas ?

Jonas hocha doucement la tête, de haut en bas, avec une petite moue. Cela voulait dire qu'il était effectivement tenté, mais qu'il réfléchissait. Il demanda :

— Quelle durée avez-vous prévue ?

— Quand je vous aurai enfermé dans l'Arche, vous y resterez vingt ans...

— Cela me paraît un bon délai... Avec une marge juste suffisante...

Vingt ans... Tout à coup il réalisa qu'il ne lui restait plus que dix minutes pour rejoindre sa femme...

— Ma femme !

... et mourir avec elle...

Il se mit à crier :

— Je me fous de votre abri ! Faites-moi conduire auprès de ma femme. Par où sort-on d'ici ?... Un hélicoptère !... Vous m'avez... Vous m'avez... Sans vous je serais... Lucie ! ! !...

Il criait, il se tournait vers tous les murs, cherchait une issue impossible... Trop tard !... Il n'aurait pas le temps de la rejoindre, elle mourrait sans lui, dans une atroce terreur soudaine... Ce salaud ! cette ordure ! ce marchand ! Il chercha une arme, quelque chose pour lui casser la tête, il n'y avait rien que l'on pût prendre en main... Que des roses...

— Vous n'imaginez pourtant pas, disait calmement

M. Gé, que si j'ai mis dans l'Arche l'âne avec son ânesse et le coq avec ses poules, j'allais y embarquer l'homme tout seul ? Votre femme est aussi nécessaire que vous... Et dans son état, encore plus précieuse...

Il posa sa main droite sur le mur derrière son bureau. Le mur glissa, découvrant l'intérieur d'une petite pièce rectangulaire capitonnée de satin jaune canari. Un philodendron, grimpant hors d'un pot turquoise modern style, couvrait presque entièrement deux murs de ses larges feuilles découpées. Les délicates couleurs d'un tapis de soie chinois luisaient doucement sur le sol. Sur le tapis était posé une civière et sur la civière Mme Jonas étendue dormait, un petit sourire aux lèvres, les deux mains croisées sur le tournesol.

— Chut ! fit M. Gé à Jonas, qui allait crier le nom de sa femme. Ne la réveillez pas...

— Mais il faut la transporter ! la mettre à l'abri ! on n'a plus le temps ! Où est l'Arche ?

— Nous y allons, dit M. Gé. Voulez-vous entrer ? C'est l'ascenseur...

Au moment où Jonas franchissait la porte de la petite pièce, une lueur fulgurante le fit se retourner vers le mur de verre. Au sud-ouest, l'horizon brûlait d'une immense lueur verte bouillonnante. Des milliers de sphères y grouillaient, vertes, blanches, blêmes, écarlates, tourbillonnaient lentement, s'enflaient, se pénétraient, éclataient en silence, engendraient des sphères plus petites qui grossissaient, grouillaient, tourbillonnaient, éclataient... L'enfer se déversait dans la moitié du ciel. Le bureau était devenu l'intérieur d'une émeraude striée de sang. Du coin de l'œil, Jonas voyait à côté de lui M. Gé vert comme une plante, rouge comme un écorché. Atterré, il se tourna vers lui :

— Déjà !... dit-il. Orly ?

— Non, dit M. Gé : Jérusalem.

Il poussa doucement Jonas dans la pièce jaune et y entra à son tour. Dans sa main droite il tenait toujours la rose. Une sirène se mit à hurler sur Paris, puis d'autres, toute la meute des chiens de fer épouvantés, hurlant la mort fantastique qui arrivait au galop de feu.

Le mur capitonné se referma, et coupa tous les bruits du monde. Les feuilles du philodendron firent un murmure de papier frais sous la main de M. Gé qui les caressait en entrant. Jonas tremblait. Toute sa chair tremblait, ses os tremblaient, ses dents, ses mains, ses cheveux tremblaient et dans sa tête qui tremblait il sentait trembler le chaos de ses pensées bouillonnantes et tourbillonnantes comme le ciel qu'il venait de voir. Ce n'était pas de la peur, c'était plus que de la terreur, c'était une réaction primitive, absolue, de chaque fibre vivante, à laquelle les hommes n'avaient pas eu l'occasion de donner un nom, car aucun d'eux, jusque-là, n'avait vu commencer la fin du monde...

Il sentit sous ses pieds la cabine démarrer et accélérer sa descente. Il éprouva tout à coup un sentiment de sécurité totale. Comme un poussin qui rêve qu'il va être mangé par le chat et qui réussit juste — cric ! — à s'enfermer dans l'œuf...

Il prit une grande respiration, se tourna vers sa femme, s'agenouilla, serra fortement sur le bord de la civière ses mains qui tremblaient encore un peu, se pencha et posa ses lèvres sur la joue qui s'offrait à lui. Lucie soupira de bonheur dans son sommeil et les coins de son sourire fendirent la foule des taches de rousseur. Jonas fit une petite grimace, huma l'air une ou deux fois et recula légèrement : sa femme avait apporté autour d'elle un cocon de l'odeur du cortège. La pièce jaune descendait à une vitesse vertigineuse, en accélérant sans cesse. Jonas sentait le vide se creuser sous ses genoux et derrière son nombril. Sa femme le sentit aussi, se réveilla, poussa un cri et voulut retenir son ventre qui s'enfuyait Dieu sait où.

— Lucie... Je suis là... Ne crains rien... Je suis là !...

Elle tourna la tête, vit son mari à genoux près d'elle et fondit de bonheur.

— Henri !...

Puis elle vit un homme blanc qui lui souriait et tenait une rose; elle vit une belle plante verte épanouie sur des murs jaunes, gais, et se rassura tout à fait. D'ailleurs elle ne sentait plus cette curieuse sensation dans son ventre. Le voyage vertical était terminé, la cabine s'immobilisait en douceur au dernier millimètre. Au-dessus d'elle, vingt et une portes de béton, d'eau et de sept alliages d'acier, épaisses comme une montagne, s'étaient refermées sans bruit. Au-dessus des portes, à la surface, Paris n'était plus qu'un trou immense plein de flammes et de fureur. Silfrid était morte sans s'en apercevoir, toutes les perles fondues autour d'elle en une seule perle de soleil.

Le mur canari s'ouvrit, révélant une grande pièce voûtée, pareille à un bateau posé à l'envers. Un bateau d'or. Du moins la matière dont étaient faits les murs qui se rejoignaient comme des mains jointes, avait-elle la couleur et l'aspect d'un or mat, de teinte chaude.

Sur la gauche, une fontaine provençale aux trois dauphins de pierre coulait près d'un cyprès dont le doigt pointu grattait la jointure des arches.

— Henri ! demanda Mme Jonas, où tu m'as fait emmener ? C'est pas la clinique des Sœurs du Bon Secours !

— Ne t'inquiète pas, je vais t'expliquer, tout va bien...

— Aah ! hurla Mme Jonas en se cramponnant aux bords de la civière, ne me quitte pas ! Henri ne me quitte pas !

— Je ne te quitte pas ! Ma chérie ! tout va bien ! tout va très bien !

— AaaaAAh !

— Respire ! Comme on t'a montré ! Respire ! Détends-toi !

— Détends-toi ! Tu en as de bonnes, toi ! Aaaaah ! Ne me quitte pas ! Donne-moi ta main !...

Il lui tendit sa main droite. Elle s'y cramponna et y enfonça ses dix ongles.

Ils crièrent ensemble :

— AaaAAAh !

Jonas reprit son souffle, se tourna vers M. Gé et lui demanda à voix basse.

— Vous avez prévu un accoucheur ?

— Vous êtes médecin…, répondit M. Gé, en se penchant vers la civière. Il appuya sur un bouton et la civière roula doucement de la pièce jaune à la pièce d'or.

Elle s'arrêta près de la fontaine.

— C'est de l'eau stérile, dit M. Gé, plus pure que de l'eau bouillie… Dans tous les films que j'ai vus, on fait bouillir de l'eau quand une femme accouche. Je ne sais pas à quoi cela sert mais je suppose que ce doit être utile ? Préférez-vous que je vous laisse, ou avez-vous besoin de moi ?

— Qui c'est ? demanda Mme Jonas, gémissante. C'est pas un docteur ? Où est le Dr Sésame ?

Elle cria :

— Henri ! Où tu m'as emmenée ? AaaaAAAh !

Jonas léchait sa main saignante et regardait avec horreur sa femme qui s'arc-boutait sur la civière. Il se sentait totalement incapable, incompétent, dépassé, bon à rien.

— Henri ! cria Mme Jonas, il arrive ! Aide-moi ! Il… il arrive !…

Jonas respira un grand coup, se laissa tomber à genoux, prit machinalement des ciseaux que lui tendait M. Gé, fendit le tournesol jusqu'au menton, fendit la culotte à fleurs et le soutien-gorge.

La mère n'avait plus besoin d'aide, plus besoin de personne. Du fond des millions d'années la connaissance primitive était tout à coup arrivée jusqu'à elle. Elle poussait, s'arrêtait, se reposait, poussait de nouveau, elle sentait son enfant hésiter au moment de se séparer d'elle, elle le poussait doucement au-dehors, vers la vie, elle l'encourageait, sans rien dire, ils se comprenaient, il n'avait plus peur… il se décidait…

Au moment où il passa la tête, que son père

agenouillé reçut au creux de ses mains, M. Gé posa son doigt sur une touche d'un clavier dessiné dans le mur. Des oiseaux se mirent à chanter dans le cyprès, et dans le saule pleureur, dans la fontaine et dans les murs, le rossignol de nuit et l'alouette lointaine, le merle du matin, la tourterelle et la grive et d'autres oiseaux du monde, avec la brise dans le haut des arbres et le rire des ruisseaux chatouillés, l'odeur des tilleuls et de la verveine, du thym surchauffé et de la mousse mouillée, de la prairie tondue et de la forêt qui couve ses champignons. Ainsi le premier cri de l'enfant ne fut pas de douleur, mais une note de vie qui prit sa place dans le concert vivant venu de toutes parts.

Avant de le regarder lui-même, Jonas avait soulevé l'enfant pour le montrer à sa mère. Elle avait vu que c'était une fille, qu'elle était blonde, et qu'elle ressemblait à son père. Elle ferma les yeux de bonheur et s'endormit. Elle se réveilla un quart d'heure plus tard pour faire le second. C'était un garçon, il était encore plus beau que la fille, et ne ressemblait à personne.

Et les nouveau-nés devinrent des nourrissons, nourris aux seins de leur mère, un à gauche, un à droite, et alternativement vice-versa. Puis ils furent bébés avaleurs de bouillies fournies par le distributeur. Puis enfants adaptés au régime du poulet rôti.

Ils grandissaient dans l'Arche, ne connaissant rien d'autre que l'intérieur de l'Arche, et ne pouvant imaginer rien de plus. On ne construit un monde imaginaire qu'avec des matériaux pris dans le monde connu. L'imagination, c'est de la mémoire passée à la moulinette et reconstituée en puzzles différents. Un être humain qui aurait été élevé uniquement dans du rouge, derrière des vitres rouges, ne pourrait jamais imaginer le bleu. Et Jim et Jif, malgré tout ce que leur racontaient leurs parents, surtout leur mère, ne pouvaient se faire la moindre idée de ce qu'étaient l'extérieur, l'espace. L'Arche était leur univers, leur univers avait des dimensions précises, et une limite ronde : le mur dans lequel il était tout entier contenu.

— Qu'est-ce qu'il y a derrière le mur ? demandait Jim.

— De la terre, disait Mme Jonas.

— Qu'est-ce que c'est, de la terre ?

Et Mme Jonas ne savait que répondre. Il aurait fallu qu'elle pût lui en montrer une poignée, de l'humus bien gras, une motte d'un sillon, luisante encore du baiser de la charrue. Il n'y avait pas de terre dans l'Arche. Il y avait de la mousse et de l'herbe artificielles, des arbres en plastique, de l'eau fabriquée, des bêtes immobiles, des cloisons, et un mur de métal capitonné qui, pour les deux enfants, contenait tout ce qui existe. Le reste, ce que leur mère expliquait avec des mots vagues et des exclamations d'impatience, ce que leur père essayait de préciser avec des termes techniques, était du domaine du rêve, du mythe, de l'impossible.

Mme Jonas aurait voulu leur montrer, à l'appui de ses affirmations, des images, des gravures, des photos de l'extérieur. Il n'y en avait pas une seule dans l'Arche. M. Gé lui avait expliqué :

— Vous leur auriez donné une idée absolument fausse du monde qu'ils vont trouver quand nous ouvrirons l'Arche. *Rien de ce que vous auriez pu leur montrer n'existe plus.* Plus de villes, plus de paysages... Les immeubles ont été pulvérisés, les montagnes brisées, les fleuves éparpillés, l'eau vaporisée, et tout est devenu incandescent... Ce qu'ils vont trouver, c'est probablement une unique plaine de cendres, de tous les côtés, plus loin que tous les horizons... Ou de boue, si, comme il est probable, et comme je l'espère, il pleut... Seule la pluie peut permettre à la vie de repartir. Quelque part, peut-être, déjà, quelques graines enfouies, sauvegardées, auront germé. Peut-être trouveront-ils, dans le désert, un buisson, une fleur, un jeune arbre... C'est pourquoi j'ai mis ici la reproduction du cyprès et du saule pleureur...

C'était surtout pour elle-même que Mme Jonas racontait — Jif s'en lassait vite — sa vie évanouie et le monde effacé... Elle fermait les yeux et parlait, et revivait Paris, le métro, l'Auvergne, l'autogire, la Beauce, l'Océan, la cuisinière électrique, le ragoût d'agneau, les cerises...

Quand elle rouvrait les yeux, Jif n'était plus là, mais Jim, la bouche ouverte, écoutait, écoutait la pluie, les nuages, les voyages de l'autogire qui montait vers le ciel.

— Qu'est-ce que c'est, le ciel ?

Et Mme Jonas hochait la tête et reniflait, retenant ses larmes. Qu'est-ce que c'est, le ciel ? Trouvez donc les mots pour le dire...

Un matin — le matin c'était quand la lumière bleue s'éteignait et que la lumière blanche s'allumait — Jim, qui avait alors quatorze ans, accourut vers sa mère, tout excité :

— Oh ! maman, je sais comment c'est là-haut, à la Surface ! Je l'ai vue en rêve, cette nuit !...

— Oh ! mon chéri, dit Mme Jonas bouleversée, comment c'était, comme tu l'as vue ?

— Eh bien, j'étais là-haut, j'étais dehors, et le plafond était haut ! Tellement haut que j'aurais pas pu le toucher même si j'étais monté sur la table !

— Le plafond ? Quel plafond ?

— Le plafond du dehors !... Et le mur était loin, loin !... Au moins trois fois comme celui du salon !...

— Quel mur ?

— Le mur du dehors !...

— Dehors, il n'y a pas de mur ! Quand on est entre les murs, c'est qu'on est dedans ! Dehors y en a pas... Enfin, si, y en a... Mais pas partout... Et on peut passer à côté !...

— A côté ?

Jim ouvrait des yeux effarés.

— Bien sûr ! Sans quoi, où on irait ? Et dans la campagne y en a pas du tout !

— Mais alors, qu'est-ce qu'il y a au bout ?

— Au bout de quoi ?

— Au bout !... Il y a toujours un mur, au bout !...

— Dehors, y a pas de bout !...

Cette affirmation jeta Jim dans un tel désarroi que sa mère eut peur. Et quand elle relata la scène à son mari, elle lui dit sa crainte :

— Quand nous allons sortir, et qu'ils ne verront pas de mur, et pas de bout, nos petits vont attraper le vertige ! Un vertige horizontal !...

Jim s'était repris et poursuivait le récit de son rêve :

— Le mur était loin, loin, et je courais pour y arriver, je courais, je courais, et tout à coup le soleil s'est éteint, et c'était la nuit...

Mme Jonas ne laissait pas passer une occasion de rectifier le vocabulaire des enfants. Elle dit :

— Le soleil ne s'éteint pas : il se couche...

— Il se couche ? Il se couche comment ? demanda Jim interloqué.

— Il se couche, c'est tout ! Le soleil se couche ! Qu'est-ce que tu veux qu'il fasse ?

— Mais tu m'as dit que c'était une grande lumière !...

— Oui... Eh bien... Eh bien c'est une grande lumière qui se couche ! C'est simple, non ?

Jim n'insista pas. Quand il s'agissait de « là-haut », il se heurtait constamment à des mystères incompréhensibles. Et sa mère lui disait : « Tu verras... Tu verras quand tu y seras... C'est tout simple... Tu verras... »

Et à mesure que le temps passait il avait de plus en plus envie de *voir*. Le désir de sortir de l'Arche le soulevait. On lui répétait qu'il fallait qu'il patiente. On ouvrirait l'Arche quand il aurait vingt ans. Mais faute des changements visibles apportés par les saisons, il ne parvenait pas à bien comprendre ce qu'était une année, et à quoi correspondait ce qu'on appelait son âge. Quand la frénésie de sortir le prenait, il aurait voulu percer le plafond avec sa tête, devenir un outil qui s'enfoncerait en tournant dans le mur et dans ce qui était derrière, la « terre » inconnue, qui contenait des « cailloux », et qui le séparait des incroyables et merveilleuses promesses du dehors.

Alors il affirmait à sa mère :

— J'ai vingt ans, maman ! Je te jure que j'ai vingt ans ! Je le sais mieux que toi, quand même !...

Elle le serrait contre son cœur, l'embrassait.

— Patiente, mon poussin... Non tu n'as pas encore vingt ans mais ça viendra, va, ça viendra...

Avec des crayons de couleur sur du papier, M. Jonas essaya d'expliquer à son fils ce qu'étaient le Soleil, la

Terre, les planètes... Mais quand Jim vit l'énorme rond jaune du soleil et le tout petit rond marron de la Terre il ne comprit pas comment ce gros machin pouvait se promener au plafond d'une petite boule.

Son père se rendit compte qu'il avait eu tort d'essayer de représenter l'exactitude scientifique, et qu'il était préférable de s'en tenir à l'exactitude apparente. Il traça une large courbe presque plate, représentant une portion du sol terrestre, et dessina au-dessus la petite lanterne jaune du soleil.

— Alors, finalement, le Soleil, demanda Jim, il est gros ou il est petit ?

— Il est très gros, mais on le voit petit parce qu'il est très loin...

Une fois de plus, Jim tomba dans un abîme de perplexité. Ses yeux ne connaissaient que la perspective rapprochée, ils n'avaient jamais vu rapetisser un objet ou un animal qui s'éloigne et son esprit ne pouvait pas concevoir que quelque chose pût changer de dimensions. Son père soupira et dit une fois de plus : « Tu verras... »

— On verra bien ! disait Jif.

Son insouciance n'était rien d'autre que le magnifique bon sens qui a toujours maintenu les femmes au contact de la réalité. Elle ne se posait pas de problème. Quand on y serait, on verrait...

Les hommes rêvent, se fabriquent des mondes idéaux et des dieux. Les femmes assurent la solidité et la continuité du réel.

Jif ne partageait pas non plus la vénération de son frère pour M. Gé. On leur avait toujours dit que c'était M. Gé qui avait fait construire l'Arche et tout ce qui était dedans, les meubles, les arbres, le Distributeur, le Trou, l'horloge, et Sainte-Anna dont ils allaient parfois, à travers les hublots de la machinerie, voir remuer les rouages extraordinairement compliqués, luisants et fumants.

Jif ne cherchait pas à en savoir plus long. Mais pour Jim, qui ne pouvait pas avoir la moindre idée de la façon dont cela avait été fabriqué en cent endroits différents, puis transporté et assemblé, ni du nombre et de la diversité des intelligences et de la main d'œuvre qui y avaient collaboré, c'était M. Gé qui avait tout fait lui-même, il ne savait pas comment, il ne pouvait pas se l'expliquer, mais il ne pouvait pas trouver d'autre explication.

Un jour, il demanda à sa mère :

— C'est M. Gé qui a fait le Dehors, et le Soleil ?

— Oh ! dit Mme Jonas indignée, il faut quand même pas le prendre pour le Bon Dieu !

— Qu'est-ce que c'est, le Bon Dieu ?

Mme Jonas resta bouche ouverte, puis reprit souffle et répondit :

— Ça, franchement, je peux pas te le dire...

Elle venait de se rendre compte, brusquement, que pour son fils, M. Gé, le Tout-Puissant, était effectivement Dieu, et le Dehors le paradis. Paradis merveilleux, inexplicable, inimaginable, qu'on lui avait promis, qu'il espérait de toutes ses forces et qu'il doutait parfois de jamais atteindre. Dieu charnel, présent, qu'il pouvait voir, entendre, interroger, et qu'il osait même parfois toucher, qui avait créé le monde et dont dépendait la vie de chacun. Dès cet instant, elle lutta, sans répit, pour détruire dans l'esprit de son fils cette hérésie grotesque. C'était pas pensable : M. Gé le Bon Dieu ! Elle ricanait... Mais qui a jamais pu détruire la foi d'un vrai croyant ? Surtout quand il a vraiment Dieu sous la main...

L'Arche était un cylindre d'acier enfoncé verticalement dans la terre. Sa hauteur était de cent-vingt mètres, et son diamètre de trente. Elle se composait de plusieurs étages superposés, celui du haut étant réservé aux humains.

Au centre de l'étage se trouvait le grand salon rond, lieu de réunion, salle commune, où s'ouvrait le Trou et aboutissait le Distributeur. Il était rarement vide, chacun le traversait ou s'y installait à toute heure du jour. Son meuble principal était le grand divan violine en forme de croissant, qui épousait la courbe du mur avec ses grands coussins en capiton de faux cuir, doux, mous, solides, indestructibles. Le reste du mobilier réunissait des pièces de styles divers, hétéroclites, mais bien choisies et s'accordant. Un couloir circulaire encerclait le salon. Autour du couloir étaient situés les cinq chambres, l'atelier de M. Jonas, la pelouse-fontaine, et la salle de gymnastique. Soit huit pièces disposées comme les tranches d'une couronne.

Autour d'elles courait un second couloir d'où partaient les ascenseurs, escaliers et glissoirs, plongeant vers les autres étages.

Sous les humains se trouvait l'étage des bêtes.

C'était le plus épais. Les bêtes en hibernation reposaient, seules, ou par couples ou familles, dans des cases séparées, hermétiques, dix en largeur, dix en longueur et dix en hauteur. Seules certaines cases du haut avaient un plafond transparent, pour la distraction des passagers de l'Arche.

Au-dessous des bêtes, une tranche circulaire de l'Arche contenait l'énorme réserve de graines, rhizomes, tubercules, stolons, boutures, drupes, gousses, pépins, amandes, racines, greffes, bourgeons, marcottes, et tous autres éléments de reproduction des arbres, arbustes, plantes et plantules, conservés chacun dans les conditions qui lui convenaient, surgelé ou déshydraté ou dans un gaz neutre ou dans un cocon de plastique, ou simplement dans le noir et au sec. Cette armée silencieuse devait partir à la conquête de la Terre et y réinstaller la vie végétale, avant qu'il soit possible de réveiller les animaux.

Le fond de l'Arche contenait l'étage de la machinerie. C'était M. Jonas qui veillait sur celle-ci. Son travail n'était pas très absorbant. L'ordinateur et ses annexes électroniques, mécaniques et physico-chimiques fonctionnaient si parfaitement qu'il n'avait, en pratique, rien d'autre à faire que les regarder, et remplacer de temps en temps une pièce qui s'usait par une pièce neuve. Il en possédait un stock prévu pour durer au moins cent ans. Tous les circuits et tous les mécanismes essentiels avaient été installés en quatre exemplaires, susceptibles de se remplacer automatiquement en cas de panne. L'énergie, inépuisable, provenait d'une pile universelle, ou pile U, ou plus simplement pilu. Elle était le cœur de l'Arche. De telles piles avaient été les cœurs des bombes qui avaient rasé la Terre. La pilu de l'Arche, surpuissante, était grosse comme une pastèque.

Enfin, sous la machinerie, la soute abritait un certain nombre d'engins et d'outils, tels que charrues, chariots, scies, bêches, barques, tentes, baraques, etc., qui seraient nécessaires aux premières générations. Tous étaient sans moteurs.

Sainte-Anna cliquetait, ronronnait, rythmait le temps de l'Arche, le temps interminable. Mme Jonas racontait, tricotait, M. Jonas bricolait, M. Gé souriait, les enfants grandissaient.

Ainsi parvinrent-ils en leur seizième année.

Ce jour-là, M. Gé sortit de sa chambre aussi impeccable qu'au premier jour de la fermeture, blanc de la tête aux pieds. Ceux-ci étaient nus, seule concession qu'il fît à la température. Pour le reste, il demeurait totalement boutonné et immaculé, jusqu'au menton.

Mme Jonas disait que pour être toujours aussi vierge de tache, de la moindre trace de poussière ou de transpiration, il devait changer de vêtements au moins deux fois par jour. Peut-être trois. Ou plus. Et comme ni elle ni personne ne l'avait jamais vu appuyer sur le Bouton, elle en concluait qu'il disposait d'un Distributeur particulier, pour lui tout seul. Elle aurait bien voulu jeter un coup d'œil dans sa chambre. Elle avait souvent essayé d'en pousser la porte, quand elle était certaine qu'il se trouvait ailleurs. Mais la porte, qui n'avait pas de serrure apparente, restait close. Inébranlable.

M. Gé gagna le salon, où M. et Mme Jonas et les enfants attendaient qu'il vînt leur dire ce qu'il avait à dire. Il leur avait demandé de se réunir, ils étaient là, ils attendaient sans impatience, ils avaient le temps, le temps interminable...

Mme Jonas tricotait, M. Jonas bricolait, les jumeaux chahutaient.

M. Jonas, assis sur la moquette devant la table basse, avait disposé sur celle-ci trois petites pièces détachées de Sainte-Anna, une plate en forme de T, une sphérique nimbée de fils, et une cubique, trouée, dans laquelle il fouillait avec son tournevis.

Mme Jonas, assise dans le fauteuil jaune, tricotait quelque chose de rose, en jetant de temps à autre un regard noir aux deux adolescents qui se bousculaient sur le divan. Elle n'y tint plus. Elle cria :

— Jim ! Veux-tu laisser ta sœur tranquille !

— Trop tard, dit M. Gé avec un mince sourire...

— Trop tard pour quoi ? demanda Jim.

— Tu vas le savoir, petit malheureux ! dit sa mère.

— Pourquoi malheureux ?

— Oh ! dit Mme Jonas exaspérée, tu m'as fait sauter une maille !... Il faut que je reprenne tout mon rang ! Un-deux-trois, un-deux-trois-quatre-cinq... Il vint s'agenouiller devant elle, lui demanda d'une voix tendre :

— Qu'est-ce que tu tricotes, aujourd'hui ? C'est plus large qu'hier...

— Hier c'était une chaussette, aujourd'hui c'est un pull-over...

Il dit, désolé :

— Je saurai jamais ce que c'est, une chaussette, tu les finis jamais...

— Qu'est-ce qu'on en ferait ? On marche pieds nus... Je tricote parce qu'il faut bien que je m'occupe... Pas de cuisine, pas de vaisselle, pas de T.V., pas de téléphone, pas de voisines !... Si je tricote pas je deviens folle !... Et je détricote parce que ça sert à rien... Avec 28 degrés tout le temps, on a moins envie d'un lainage que d'un courant d'air !...

« J'ai du bon tabac... » serina la musiquette du Distributeur, annonçant ainsi que Sainte-Anna allait livrer un poulet.

— Chic ! J'avais faim ! s'exclama Jim.

Il se dressa, sauta par-dessus la table basse chinoise et s'arrêta au ras du mur qui était en train de s'ouvrir comme un œil d'oiseau, par le coulissement de deux paupières perpendiculaires.

Il s'ouvrait en rond, en carré ou en triangle, selon la forme et les dimensions de l'objet à livrer. Pour le poulet, la cavité était en coupole, avec une base horizontale, à cause du plateau. Pour une fraise, il ne s'ouvrait pas plus grand qu'une bouche. Mais il n'avait livré qu'une seule fraise, une seule fois, à la demande de Mme Jonas. Celle-ci n'avait jamais renouvelé sa demande : elle avait reçu une fraise en plastique. Le Distributeur ne délivrait pas d'autres nourritures que le café-au-lait-croissants et le poulet rôti.

Jim prit le plateau et le posa sur la table basse, devant son père. Sur le plateau se trouvait un plat d'argent et sur le plat un poulet fumant, doré, cuit à point, fleurant bon. A côté du plat, une petite pile de serviettes blanches. Quatre serviettes : M. Gé ne mangeait jamais.

— Il ne mange pas, ça prouve bien qu'il n'est pas comme nous !... disait Jim, avec un regard qui exprimait sa vénération.

— Ça prouve seulement qu'il aime pas le poulet ! répliquait Mme Jonas. Le poulet, c'est bon pour nous ! Du poulet rôti, du poulet rôti, toujours du poulet rôti, chaque jour, tous les jours, jour après jour ! Il y a de quoi devenir chèvre ! Lui, dans sa chambre, il doit se faire distribuer du gigot ! du civet ! du saucisson ! des frites !

Elle en avait les larmes à la bouche.

— Qu'est-ce que c'est, des fr...

— Zut !

Son excitation retombait, elle ravalait sa salive. Elle finissait par oublier qu'avaient pu exister d'autres nourritures que du poulet rôti.

— Donne-moi une cuisse, j'ai faim, dit-elle, en tendant une main vers Jim.

Il arracha une cuisse et la lui donna sur une serviette pliée. Il distribua les autres membres du volatile et jeta la carcasse, avec le plat et le plateau, dans le Trou.

Le Trou fit d'abord « Cling ! » puis « Glouf... ». Le

cling était l'accusé de réception, et le glouf la déglutition. La digestion se faisait plus bas, dans les entrailles de Sainte-Anna.

On ne se mettait pas à table pour manger. Il n'y avait pas de repas. Les poulets rôtis arrivaient n'importe quand. Si on n'avait pas faim on les jetait au Trou. Si on avait faim on mangeait sur le pouce, et on jetait les os et la serviette. On pouvait aussi obtenir un poulet à tout moment, en appuyant sur le Petit Bouton. C'était un bouton à part, au-dessous du Bouton. Il ne servait que pour le poulet rôti.

Assise au bord du divan, Jif regardait d'un air dégoûté l'aile du poulet posée sur la serviette étalée sur ses cuisses nues. Elle se décida à la prendre, la porta à ses lèvres, eut un haut-le-cœur, la remit sur la serviette et s'essuya les doigts à son soutien-gorge.

— Tu es dégoûtante ! dit sa mère, avec cette habitude de t'essuyer à tes vêtements ! Tu as une serviette, non ? A quoi ça sert ?...

Elle ajouta, quelques secondes après :

— Tu manges pas ?...

— J'ai pas faim, dit Jif d'une voix plaintive. J'ai mon café au lait qui passe pas...

— Ça m'étonne pas, petite malheureuse !

— Pourquoi malheureuse ? demanda Jim.

— Toi, tu ferais mieux de te taire !...

Mme Jonas abandonna sur la moquette la cuisse entamée enveloppée dans la serviette, se leva, vint vers le divan, s'arrêta devant Jif et la regarda. Et Jif regardait sur ses genoux l'aile de poulet comme si c'eût été l'objet le plus répugnant qu'elle eût jamais vu. Elle l'enveloppa dans la serviette et la tendit à sa mère. Mme Jonas, hochant la tête, les jeta dans le Trou.

Cling, glouf.

Et Jif, écœurée, continuait de regarder ses genoux maintenant découverts, et Mme Jonas, debout devant elle, continuait de la regarder avec étonnement, avec amour, et avec réprobation. Submergée par la tendresse elle s'assit à côté d'elle, lui prit la tête entre ses deux mains et l'embrassa.

— Mon petit oiseau, mon pauvre poussin !...

Elle renifla, s'essuya le coin d'un œil.

Cling, glouf. M. Jonas venait de jeter l'os de la cuisse. C'était des poulets simplifiés, qui n'avaient qu'un os par membre.

Le Trou faisait face au Distributeur, dans le mur rond du salon. Il restait ouvert en permanence. Il avait à peu près les dimensions et l'apparence d'une fenêtre ouverte. Mais on ne voyait rien derrière, sauf la tenture de simili-cuir brunâtre, toujours propre et intacte, sur laquelle les objets qu'on jetait venaient buter, avant de tomber dans les profondeurs de Sainte-Anna.

Le Trou et le Distributeur constituaient les deux extrémités principales du Synthétiseur-Analyseur. En abrégé, M. Gé l'avait dénommé Synth-Ana. Et Mme Jonas en avait fait Sainte-Anna...

Il y avait, effectivement, quelque chose de miraculeux dans cet organisme qui réunissait les fonctions de cerveau, de poumon, de tube digestif, de créateur, qui non seulement digérait les débris et les reconvertissait, renouvelait l'air, donnait la lumière, mais fournissait aussi l'heure à l'horloge, l'eau à la fontaine, et tout ce qui, étant artificiel, pouvait être fabriqué. Ce que livrait le Distributeur avait parfois l'apparence d'un produit naturel. Mais seulement l'apparence. Son poulet rôti, par exemple, était effectivement rôti, mais pas poulet.

C'était, en fait, dissimulé sous le goût et la consistance du poulet rôti, un aliment complet comprenant tout ce qui était nécessaire à l'entretien d'êtres humains vivant en espace confiné, y compris les vitamines, les enzymes, les oligo-éléments et les bactéries programmées. Sans une calorie de trop... Ce qui avait permis à Mme Jonas de rester svelte. Enfin presque.

Il eût été plus facile de livrer cet aliment sous forme de bouillie, de hâchis ou de marmelade. Mais M. Gé avait jugé préférable de lui donner une apparence propre à ouvrir l'appétit.

— Il va falloir que nous parlions *très* sérieusement, dit-il. Mais nous allons d'abord fêter, avec un peu d'avance, un anniversaire. Horloge, quelle heure est-il ?

L'Horloge s'alluma presque au sommet du plafond en coupole. Elle n'était jamais au même endroit. Elle se déplaçait du Distributeur au Trou en douze heures, invisible, sauf quand on l'interrogeait. Pour répondre, elle s'éclairait de jaune vif pendant les « heures de jour » et de blanc pâle pendant les « heures de nuit », où régnait dans l'Arche la pénombre bleue. Son cadran rond n'avait pas de chiffres ni d'aiguilles, mais un visage, en projection, parfois celui de la Vénus de Botticelli, ou d'un personnage de Dürer ou de Jérôme Bosch. Sainte-Anna les choisissait selon ce qu'elle avait à dire.

Ce fut la Joconde, aimable, qui répondit à M. Gé :

— Il est exactement onze heures vingt-trois minutes, monsieur.

— Non, ce n'est pas cette heure-là que je veux connaître... Je veux l'heure totale, depuis l'instant où l'Arche s'est fermée...

— Bien, monsieur...

La Joconde disparut, remplacée par l'autoportrait de Vinci avec sa grande barbe, image même du temps serein et sans émotions. Il dit d'une voix de basse :

— Je ne garantis pas les secondes, mon ami, depuis que je ne reçois plus le top...

— Ça ne fait rien.

— Bon... Il est exactement quinze ans, neuf mois, quatre jours, quinze heures, trente-deux minutes. Quant aux secondes, je...

— Je sais, merci !... dit M. Gé.

Vinci s'éteignit.

— Oui, reprit M. Gé, dans un peu moins de trois mois, il y aura seize ans que nous entrions dans l'Arche, et que deux enfants entraient au monde... Par cette double intrusion, que les circonstances m'obligent à fêter avec un certain décalage de temps, l'Arche était transformée en une graine fécondée, appelée à germer et à faire de nouveau s'épanouir la vie sur la Terre. Mais cette germination vient d'être remise en question par le comportement de deux innocents, comportement combien naturel, et que je n'ai pourtant pas su prévoir...

— Ça, dit Mme Jonas, je voudrais bien en être sûre !...

M. Gé avait l'habitude des remarques acides de Mme Jonas. Quand elle avait appris la situation, après son accouchement, elle lui avait d'abord été éperdument reconnaissante, puis, souffrant de sa claustration, c'était à lui qu'elle s'en était prise, le rendant responsable de tout, de la situation générale et des mille petits ennuis de leur vie de reclus.

— Quels innocents ? demanda Jim.

— Vous... Jif et vous... Vous deux...

— Qu'est-ce qu'on a fait ?

— Ce que vous faites tous les jours au-dessus du lion et de la gazelle...

— Oh ! dit Jif retrouvant son sourire, c'est agréaaable !...

— Certainement, dit M. Gé.

— Petite malheureuse ! cria Mme Jonas. Avec ton frère !... C'est affreux !...

Elle se mit à sangloter et se laissa tomber dans le fauteuil jaune, son visage dans ses mains. Jim et Jif la regardaient avec étonnement. Son mari vint s'asseoir sur le bras du fauteuil et lui parla doucement.

— Calme-toi, ma chérie... Réfléchis un peu...

— Réfléchissez, Mme Jonas, dit M. Gé. Examinez clairement la situation : vos deux enfants vont se trouver bientôt à l'extérieur, seuls au monde, avec la mission de repeupler la Terre...

— Oh là là ! dit Mme Jonas.

— Comment voulez-vous qu'ils s'y prennent ? Comment croyez-vous qu'ont fait les enfants d'Adam et Ève ? ils ont bien été obligés de se « connaître », comme dit la Bible, entre frères et sœurs, pour donner naissance au genre humain...

— Vous croyez ?

— Bien sûr, ma chérie, dit doucement M. Jonas.

— C'est évident, dit M. Gé.

— Et nos petits vont faire comme eux ?

— Ils y seront bien obligés... Ils ne trouveront pas d'autres partenaires...

— Ça a pas l'air de leur peser, comme obligation !... gronda Mme Jonas.

Elle s'essuya le nez et les yeux au mouchoir de son mari, et se tourna vers ses enfants, s'efforçant de les voir d'un œil nouveau.

Ils étaient assis côte à côte au bord du divan, elle blonde, lui châtain, comme deux nuances de la même lumière, minces, pas encore tout à fait achevés, en plein élan vers leur forme parfaite, très innocents et très beaux. Les yeux grands ouverts, ils regardaient et écoutaient les adultes avec un peu d'étonnement et d'inquiétude, essayant de trouver un sens à ce dialogue qui les concernait et auquel ils ne comprenaient rien. Jif se sentit envahie par un malaise qui la fit frissonner. Elle se rapprocha de Jim et se blottit contre lui. Jim étendit son bras et le posa autour des épaules de sa sœur.

Mme Jonas poussa un gémissement.

— Je m'y ferai jamais !...

— Mais si, dit M. Gé, vous vous y ferez... Quand nous retournerons là-haut vous aurez à faire face à des problèmes bien plus graves... Surtout si nous y retournons plus tôt que prévu...

Jim se leva d'un bond.

— Quand ?

— Bientôt, peut-être... C'est à vous tous de décider... J'ai déjà expliqué la situation à vos parents... Il faut maintenant que vous sachiez, vous deux, ce que vous avez déclenché. Puis, tous les quatre, vous prendrez la décision...

— C'est tout pris ! cria Jim. On sort demain ! Maintenant ! On sort ! On sort !...

Il se mit à sauter par-dessus les meubles, à cabrioler sur la moquette, il souleva sa mère hors de son fauteuil et la serra de toutes ses forces sur son cœur.

— On sort, maman ! On sort !...

— Aïe ! tu me fais mal ! Lâche-moi ! Que tu es brutal !... Qu'il est fort... Mon trésor...

Il s'arrêta devant M. Gé, et lui demanda, se retenant, par respect, de crier :

— On sort quand ?... Quand ?...

— On verra... Tenez... Pour l'instant, débarrassez-moi de ceci... C'est un cadeau pour votre anniversaire...

— Un cadeau ?...

M. Gé lui tendit un paquet qu'il tenait sous son bras, enveloppé de papier père noël, et noué d'un large ruban frisé qui faisait un chou et des bouclettes.

— Oh ! merci ! Qu'est-ce que c'est ?

— Eh bien, regardez...

Jim prit le paquet et commença à essayer de dénouer le ruban sans le froisser.

— Que tu es bête ! dit Jif. Coupe-le !...

Elle l'avait regardé s'agiter avec une petite moue réprobatrice. On allait sortir, bon, bon, et après ? Ça ne valait pas la peine de sauter au plafond...

Elle ne se sentait vraiment pas bien. Elle se leva, la mine renfrognée, ôta son soutien-gorge taché, et le jeta dans le Trou.

Cling, glouf.

Elle vint vers le Distributeur pour s'en faire livrer un autre. Au moment où elle passait devant M. Gé, celui-ci doucement, dit son nom :

— Jif...

— Oui ?

— J'ai aussi un cadeau pour vous...

Elle s'arrêta et se tourna vers lui.

— Jif, gronda sa mère, va d'abord t'habiller !

— Oui, maman...

Elle vint au mur, devant le clavier qui y était encastré, tapa d'un geste habituel « vêtements Jif », appuya sur le Bouton, dégrafa son short de la veille et le fit glisser à ses pieds avec son slip, tandis que le Distributeur s'ouvrait, découvrant un petit sac de papier doré d'où elle tira un soutien-gorge couleur pêche, un short assorti et un slip d'un blanc de neige.

Elle s'habilla de neuf, enjamba ses vêtements

abandonnés et revint vers M. Gé sans se hâter. L'idée d'un cadeau ne lui donnait aucun élan.

— Jif, cria sa mère, ce désordre ! Le Trou, c'est fait pour quoi ?

— Oui maman, dit Jif.

Elle revint ramasser ses vêtements et le sac froissé, alla les jeter au Trou — cling, glouf — retourna vers M. Gé, se planta devant lui et attendit. Ses courtes mèches blondes, lisses, plates, lui cachaient les oreilles et lui mangeaient le front, brillantes et souples comme de l'eau qui aurait eu la couleur du miel de tilleul. Sous leur frange irrégulière, ses yeux bleus regardaient M. Gé sans avidité ni impatience. Ils avaient la limpidité tranquille d'un lac de montagne qui reflète le ciel et ne demande rien de plus. Sa mère la rejoignit, plus curieuse qu'elle.

M. Gé sortait lentement sa main droite de la poche de sa veste blanche. Ses longs doigts pâles n'en finissaient pas d'apparaître. Quand vinrent les bouts de l'index et du majeur, ils tenaient, pincée entre eux, une mince chaîne d'or. Et au bout de la chaîne pendait une croix d'or d'une forme insolite : la partie supérieure de sa barre verticale était remplacée par une boucle évasée vers le haut. Le bijou avait environ sept centimètres de hauteur, il était à la fois massif et mince, élancé et stable, parfaitement équilibré dans sa forme et ses proportions.

— Oh ! que c'est beau !... dit Jif.

— Une croix égyptienne !... murmura Mme Jonas.

Elle était visiblement très ancienne. Le temps avait adouci ses arêtes et dépoli ses surfaces, devenues pareilles à un épiderme vivant, familier. On avait envie de le toucher...

Le visage de Jif s'était éclairé, ses yeux brillaient, elle souriait presque. Elle tendit la main...

— Non, dit M. Gé, tournez-vous...

Il lui boucla la chaîne derrière le cou. Elle était juste assez longue pour que la croix pendît au ras du soutien-gorge, entre les deux bonnets.

— C'est une croix ansée, dit-il, le plus ancien

symbole de la vie et de la résurrection. Elle vous convient, puisque la vie va renaître sur la Terre par vous. Elle a plus de cinq mille ans. Elle a été portée par trois reines d'Égypte qui, comme vous, avaient épousé leur frère. Elle vous convient donc doublement...

Jif ne l'écoutait pas. Elle baissait la tête, et regardait la croix, dont elle ne voyait que l'extrémité. Elle la prit dans sa main et la souleva, pour la voir. Elle dit à voix basse :

— Elle est chaude...

Elle se retourna brusquement et embrassa M. Gé sur les deux joues.

— Un La Fontaine ! cria la voix triomphante de Jim. Un La Fontaine !...

Il était venu à bout des nœuds et des boucles et, exultant, brandissait le contenu du paquet.

Il courut vers sa mère pour lui montrer son cadeau sublime. Il en oubliait qu'on avait parlé de sortir.

— Un La Fontaine ! Regarde comme il est gros !...

— Tous les livres ne sont pas des La Fontaine, mon grand benêt... C'est un dictionnaire...

Elle avait reconnu au premier coup d'œil un Petit Larousse illustré, l'ami des écoliers et des familles — plus de familles, plus d'écoliers, plus de montagnes, plus de maisons, plus de poissons, plus de sardines, elles ont bouilli, non il ne fallait pas penser à tout ça, elle s'assit dans le fauteuil jaune, Jim s'accroupit à ses pieds.

— Et c'est un dictionnaire illustré ! Tu vas enfin voir des images !... Regarde Paris !...

A l'idée de revoir Paris, incapable de résister, elle se saisit du Larousse et l'ouvrit nerveusement. Et tout de suite elle vit : à la place des illustrations, partout, il n'y avait que des rectangles blancs...

Écœurée, elle jeta à M. Gé un regard chargé d'une telle fureur qu'il aurait dû le transformer à distance en un petit tas de cendres fumant et vénéneux.

— Oh !... Vous !...

M. Gé lui sourit...

Il dit à Jim, qui avait repris son livre :

— Vous pourrez y trouver la réponse à la plupart des questions que vous ne cessez de poser ou de vous poser. Les mots sont classés par ordre alphabétique. Vous connaissez votre alphabet ?

— A - beu - queu - deu - eu - feu - gueu - hache - i - jeu - kaleumeuneureuseuteu — uveu, doubleveu - ixe, igrec, zeu.

Il avait débité fièrement, à toute vitesse.

— Vous avez oublié opékuère, dit M. Gé. Ça ne fait rien, cherchez caillou, par exemple. Vous avez demandé cent fois « Qu'est-ce que c'est, un caillou ? » Cherchez...

Jim, ravi, feuilleta le dictionnaire avec maladresse et hâte. Il parvint enfin au C.

— Caille-lait, caillette, caillot. Ah ! « Caillou : *pierre de petite dimension...* »

Il releva la tête, inquiet, demanda à sa mère :

— Qu'est-ce que c'est, une pierre ?

Mme Jonas haussa les épaules.

— Qu'est-ce que tu veux que ce soit ? C'est un gros caillou.

— Je vais chercher autre chose, cria Jim. La mer !
Je vais chercher la mer !...

Je cherche la mer... La mer... La mer...

Mer : n.f. Très vaste étendue d'eau salée.

De l'eau étendue... Pourquoi ?... Étendue comment ?
Avec quoi ?... Et pourquoi salée ? Qui l'a salée ?... Il y
a des salières dans l'Arche, sur les meubles, pour saler
le poulet rôti, si on veut. Moi je ne le sale pas...
Pourquoi saler l'eau étendue ?... Est-ce pour la
boire ?... On ne sale pas l'eau de la fontaine... Elle
serait peut-être meilleure... Il faudra que j'essaie...
Vaste étendue... *Très* vaste étendue... Étendue
jusqu'où ?... Jusqu'au mur du dehors ?... Plus loin que
le mur... Qu'y a-t-il derrière le mur ? La mer ?... La
mer étendue... La mer dans le mur... La mer le mur...

— Assez rêvé, dit M. Gé. Voici quelle est la
situation...

Jif était couchée de profil sur le divan, la croix
enfermée dans ses deux mains contre sa joue, ses
paupières baissées sur une lumière d'or qui illuminait
l'intérieur de son corps tout entier. Elle ouvrit les yeux
et écouta.

— La situation est simple et grave, dit M. Gé. L'Arche a été conçue pour abriter cinq personnes. C'est-à-dire que Sainte-Anna, comme dit votre mère, sait recycler les déchets de cinq personnes et l'air qu'elles ont respiré, pour leur fournir de l'air nouveau convenablement oxygéné, et les aliments et vêtements dont elles ont besoin. Tant d'usé, tant de reçu, tant de fourni. Rien ne se perd, rien ne se crée. C'est un équilibre délicat, mais Sainte-Anna s'est parfaitement acquittée de sa tâche, depuis que les portes de l'Arche se sont closes. Or cet équilibre est menacé, et va être rompu...

— Pourquoi ? demanda Jim.

— Parce que nous allons être six...

— Six ?

— Qui ?

— Où ?

— Comment ?

Les deux enfants s'étaient dressés, au comble de l'excitation.

— D'où vient le sixième ? demanda Jif.

— Il vient de la Terre ! Il vient du Ciel ! s'écria Jim. Il a traversé le mur !

— Ne vous exaltez pas, dit M. Gé, personne ne peut

traverser le mur. En fait, le sixième est déjà là...

— Je le savais ! dit Jif. Hier en passant devant l'atelier, j'ai entendu papa qui disait : « Marguerite, réponds-moi... Marguerite réponds-moi... »

— QUOI ?

Mme Jonas venait de hurler en jaillissant de son fauteuil. Elle regarda son mari, puis sa fille, puis son mari, puis sa fille, elle devenait rouge, elle suffoquait.

— Et elle a répondu ?

— Oui !

— Qu'est-ce qu'elle a répondu ?

— Elle a dit « Henri, ne me bouscule pas ! »...

— Aaaaah !...

Elle retomba dans son fauteuil, elle s'étranglait, son cri s'était terminé en cri de souris. Jonas se précipita vers elle, s'agenouilla.

— Ma chérie ! Qu'est-ce que tu crois ?... Ce n'est pas...

Elle se redressa, ayant retrouvé toute sa vigueur.

— Qu'est-ce que c'est, cette créature ?

— Je...

— Tais-toi ! Pourquoi tu la bousculais ? Hein ? Tu la bousculais pour quoi faire ? Et vous vous tutoyez !... Tu la caches là depuis seize ans ?... Quelle horreur ! J'aurai tout vu, aujourd'hui ! Eux, d'abord, et puis toi ! Toi, mon Henri ! Toi !... Hi, hi, hi...

Elle sanglotait à petit bruit. Il voulut la prendre dans ses bras, elle le repoussa avec une vigueur furieuse.

— Va la chercher !

— Mais...

— Va la chercher, qu'on s'explique ! Ah tu la bousculais ! Eh bien, elle a encore rien vu !...

— Madame Jonas, dit M. Gé, je puis vous assurer...

— Vous, vous mêlez pas de ça ! C'est *mon* affaire !...

— Marguerite est un robot ! Que votre mari s'amuse à fabriquer avec les pièces usées de Sainte-Anna...

— Un robot ?

— Oui, dit M. Jonas, avec un sourire timide.

— Et pourquoi tu m'en as pas parlé ?

— Oh ben... je pensais...

— Et pourquoi tu l'appelles Marguerite ?

— Parce que je...

— Pourquoi pas Alfred ?

— Je ne sais pas...

— Eh bien moi je sais ! C'est le nom de ta cousine, avec qui tu flirtais quand tu avais quinze ans !... Tu m'as raconté que vous alliez ensemble cueillir justement des marguerites ! Tu te refabriques ta cousine ! Ici ! Sous mon nez !...

— Qu'est-ce que c'est, une cousine ? demanda Jim.

« J'ai du bon tabac » dit le Distributeur. Le mur s'ouvrit sur un poulet.

Mme Jonas se calma en grignotant une aile. M. Gé lui avait affirmé que le robot fabriqué par son mari ressemblait moins à une star qu'à un fourneau à gaz.

— Si c'est lui le sixième qui nous met en danger, il n'y a qu'à le dévisser, dit Jim, qui visa de loin le Trou avec l'os de la cuisse.

Cling, glouf.

— Ce n'est pas lui, bien sûr, dit M. Gé.

— Alors où est-il ? demanda Jif.

Son père la regarda, sa mère la regarda, M. Gé la regarda, et voyant que tout le monde la regardait, Jim la regarda aussi. M. Gé, qui était près d'elle, avança sa main blanche et posa le bout de deux doigts fins sur le ventre adolescent. Il dit avec gentillesse :

— Il est là...

— Là ?...

Étonnée, elle toucha à son tour son ventre.

— Tu ne comprends pas ? dit la mère, en s'essuyant les mains à sa serviette. Il faut te mettre les points sur les i ?

— Comment voulez-vous qu'elle comprenne ? dit M. Gé. Vous n'avez jamais abordé ces problèmes avec elle, ni avec son frère...

— Moi ma mère m'a jamais rien dit et je savais tout !...

— Vous saviez par vos copines... Presque déjà à la maternelle... Mais où sont les copines, ici ?

Jif s'énervait. Elle frappa sur la main de M. Gé qui s'attardait dans sa direction.

— Vous allez me dire ce que ça signifie, à la fin ?

Sa mère cria :

— Ça signifie que tu es enceinte ! Là ! Tu le sais maintenant !... Tu es contente ? Tu es fière de toi ?...

Mais Jif n'en savait pas plus long.

— Qu'est-ce que ça veut dire, enceinte ?

— Demande à ton frère... Qu'il regarde dans son dictionnaire..., dit Mme Jonas excédée.

Jim s'assit sur le divan, et se mit aussitôt à tourner les pages :

— Ancêtre... anchois... ancien...

— Non, dit M. Jonas. Avec un eu...

— Un quoi ?

— Un eu... Eu, enne, cé... Pas a, enne, cé...

— Ah bon...

— Dépêche-toi ! dit Jif.

Elle s'assit près de lui, se pencha sur le livre, releva la tête vers son père :

— Tu sais ce que c'est, toi, papa ?

— Oui, bien sûr...

— Ça t'est arrivé, à toi ?

— Non !... Enfin... en quelque sorte, oui... Ce n'était pas à moi, mais c'était quand même de moi...

— Qu'est-ce que c'était ?

— C'était toi !...

— Oh ! Vous êtes tous fous, aujourd'hui !...

— Ça y est ! J'ai trouvé, cria Jim, « *ENCEINTE : ce qui entoure un espace fermé. Espace clos...* »

— Je suis espace clos ? demanda Jif effarée.

— Mon pauvre poussin, le malheur, c'est que tu l'es plus tellement... dit sa mère. Alors, Jim, c'est tout ?

— Attends... Dessous, il y a : « *ENCEINTE : se dit d'une femme qui porte un enfant dans son sein...* »

Jif se dressa, effrayée.

— Maman ! Pourquoi je porte quelque chose dans mon sein ? Dans lequel ? Ça se voit ?

Elle ouvrit son soutien-gorge et regarda ses seins l'un après l'autre. Sa mère se hâta de remettre son vêtement en place.

— Veux-tu te couvrir ! De toute façon c'est pas là... Maintenant, tu ne dois plus te déshabiller comme ça, devant tout le monde !...

— Pourquoi ?

— Parce que tu n'es plus une enfant !

— Je ne suis plus *une* enfant, mais j'en porte *un* ?

— Exactement.

— C'est un ou une ?

— C'est pareil.

— Qu'est-ce que c'est ?

— C'est comme quand tu étais petite.

— Quand j'étais petite je n'avais pas de seins !

— Tu n'en avais pas besoin.

— Maintenant non plus !

— Tu vas en avoir besoin.

— Pour porter un enfant ?

— Non, pour le nourrir.

— C'est pas du poulet !

— C'est pas pour manger.

— Alors c'est pour quoi ?

— Pour boire du lait.

— Qu'est-ce que c'est, du lait ?

— Ooooh ! !...

Mme Jonas exaspérée leva les bras au ciel et cria :

— Je deviens folle ! Demande à ton frère ! Demande au dictionnaire ! Moi je renonce !...

— Je crois, dit calmement M. Gé, qu'il faudrait commencer par le commencement.

M. Gé expliqua tout, avec des dessins sur un tableau blanc qu'il fit livrer par le Distributeur. Il montra l'emplacement des glandes féminines et masculines, parla de l'ovule, qui attendait, fiancée solitaire, dans la tiédeur de son château, et de la formidable armée de prétendants, huit cents millions de spermatozoïdes, qui partaient à sa conquête chaque fois que Jim s'unissait à Jif au-dessus du lion et de la gazelle.

— Oh ! dit Jim émerveillé !

— Oh ! dit Jif effrayée.

— Et l'ovule en choisit un, on ne sait pas pourquoi celui-là, l'appelle, l'attire, s'ouvre, l'avale, le digère et désormais ils ne font plus qu'un. C'est ce deux-égale-un qui va se transformer dans le ventre maternel, et devenir un nouvel être humain, qui sortira quand il sera prêt...

Jif, comme hallucinée, regardait son petit ventre plat, à l'intérieur duquel un mystérieux corpuscule, invisible à l'œil nu avait dit M. Gé, était en train, sans lui demander son avis, de devenir quelqu'un...

Lentement, elle posa sur lui ses deux mains à plat. Pour prendre contact. Pour qu'il sache que, maintenant, elle savait...

Mme Jonas gémit un peu. Elle ne parvenait pas à y croire.

— Vous êtes bien sûr ? demanda-t-elle à M. Gé.

— Il n'y a pas de doute... Par mesure de surveillance sanitaire, Sainte-Anna analyse chaque jour les excrétions solides et liquides de chaque habitant de l'Arche. Jour après jour, depuis trois semaines, elle a confirmé la fécondation de l'ovule. Le petit sixième est bien là, et dans huit ou neuf mois, peut-être avant, il commencera à respirer... Ni moi ni mes ingénieurs n'avons prévu sa part d'oxygène... L'air qu'il va prendre ne sera pas remplacé. Au début, ce ne sera pas très grave, mais tout sera, pourtant, déjà perturbé. Il nous fallait être si économes et si précis, pour une si longue durée, que si, aujourd'hui, une souris s'éveillait et se mettait à faire fonctionner ses poumons, tout l'équilibre de l'Arche serait subtilement fissuré, puis lézardé, jusqu'à l'écroulement...

« J'ai du bon tabac »...

— Zut ! dit Mme Jonas. Henri, jette-le au Trou !

— J'ai faim, moi ! protesta Jim.

Il mangea. Ils mangèrent. C'était machinal. Le poulet machinal. M. Jonas salait beaucoup. Cling-glouf. Cling-glouf. M. Gé continuait. Les enfants l'écoutaient avec intensité, les parents avec résignation, c'était ainsi, on n'y pouvait plus rien...

— Au bout de quelques jours après la naissance du sixième, la vie dans l'Arche deviendra difficile, puis impossible, le déséquilibre de l'oxygène affectant les autres équilibres et les déséquilibrant à leur tour...

— Vous pouviez pas prévoir ça, avec votre grosse tête ? Vous êtes pas malin, vraiment ! M. Gé, le roi des affaires, l'empereur de l'intelligence, pas prévoir le sixième ! Et si j'avais oublié de prendre ma pilule, une fois ?

— Vous la preniez une deuxième fois, sans le savoir, dans votre petit déjeuner... Voulez-vous me laisser finir mon exposé ? Nous discuterons après, si vous le voulez bien...

— Dans mon petit... Quel culot !... Et si j'avais pas déjeuné ?

— Il y avait un produit anticonceptionnel dans l'eau de votre bain et dans le tissu de vos robes... Et votre mari, lui-même, sans s'en douter, était rendu stérile. Toutes ces précautions disparaîtront, bien sûr, avec l'ouverture de l'Arche, et vous pourrez, vous aussi, collaborer au repeuplement de la Terre.

— Trop tard, soupira Mme Jonas.

C'était un peu tôt pour être trop tard, elle n'avait que quarante-neuf ans, mais peut-être manquait-elle de quelque subtile vitamine.

— Les données du problème sont nettes et claires, poursuivit M. Gé : la naissance du petit sixième rend impossible la vie dans l'Arche. Il y a deux solutions : ou supprimer le sixième, ou supprimer l'Arche, c'est-à-dire l'ouvrir...

— Les deux solutions me paraissent mauvaises, dit M. Jonas. Vous aviez prévu un séjour de vingt ans dans l'Arche à cause des radiations. Il fallait leur laisser le temps de s'apaiser, sinon de s'éteindre. C'est un délai qui ne me paraît pas large, plutôt juste...

— Très juste, dit M. Gé.

— Donc en ouvrant l'Arche maintenant, après moins de seize ans, nous nous condamnons peut-être tous à mort ?

— C'est un risque à courir... Il faut compter sur les pluies diluviennes qui sont sans doute en train de nettoyer la Terre.

— Peut-être... Quant à la deuxième solution, supprimer notre petit-fils avant même qu'il soit né...

— JAMAIS ! hurla Mme Jonas.

— Malheureusement, il n'y a pas de troisième solution, dit M. Gé.

Il s'approcha du clavier encastré dans le mur et posa un doigt successivement sur quelques touches.

— Pour que vous gardiez bien présente en votre esprit la gravité de la situation, je vais la concrétiser à vos yeux...

Il appuya sur le Bouton.

Il y eut une voix féminine qui fit : « Oooh !... » d'un air de surprise profonde et effrayée. Cette voix semblait venir d'un puits profond, humide et noir comme la peur. Une trappe s'ouvrit au plafond, et, avec un bruit de crémaillère, en descendit un objet qui s'arrêta lorsqu'il pendit d'environ un quart de mètre, hors de portée d'un bras levé. Tous les regards étaient fixés sur lui. C'était une poignée rouge, au bout d'une chaîne. Elle ressemblait à la poignée du signal d'alarme des anciens trains terrestres, mais dix fois plus grande. On aurait pu s'y suspendre à deux mains.

— Qu'est-ce que c'est ? demanda Jim.

— C'est la poignée U... Elle est destinée à mettre fin à une situation intenable, si nous étions, par exemple, coincés ici, sans possibilité d'ouvrir, sans air, sans eau, sans nourriture. Elle abrégerait notre agonie. Si quelqu'un la tire fortement, elle transforme notre pile U en bombe, qui explose aussitôt, pulvérisant l'Arche, et ouvrant un cratère jusqu'à la surface...

— Vous êtes fou ! cria Mme Jonas. Il est fou ! Vous pouvez ravaler votre poignée ! On en veut pas ! Et on veut pas de vos deux solutions ! Mon Jonas va en trouver une autre ! Il a du génie ! Et il est grand-père ! Et je suis grand-mère ! Et nous vous laisserons pas assassiner notre petit-fils !

— S'il trouve, tant mieux... Mais il faut faire vite...

— On a tout le temps ! On a huit mois ! Il est pas déjà en train de vous le boire, votre oxygène !

— Non, mais chaque jour passé vous ôtera la possibilité de décider objectivement... Vous allez devenir passionnés... Vous parlez déjà de « votre petit-fils », alors qu'il ne s'agit même pas d'un embryon, à peine d'une graine, impondérable, invisible, et qu'il est facile de neutraliser avant même qu'elle ait vraiment commencé à vivre...

— ASSASSIN ! cria Mme Jonas.

— Je vous donne un délai de vingt-quatre heures à partir de cet instant.

— Et si on se décide pas, c'est vous qui déciderez, comme toujours !

— Non. Je ne m'en mêlerai à aucun prix. C'est Sainte-Anna qui décidera, avec son objectivité de machine. Elle a emmagasiné toutes les données dans son neuvième cerveau. Elle pèsera les « pour » et les « contre » et fera la différence, sans faire intervenir l'émotion ou le sentiment. Et elle agira aussitôt. A vous de décider avant elle, si vous en avez la volonté. Horloge, comptez le temps. A partir de maintenant zéro heure.

— Oui monsieur...

L'horloge s'éclaira presque au milieu du ciel-plafond. Son visage était un visage de pierre, celui du Balzac de Rodin, dur comme le destin.

— Zéro heure, zéro minute, dix secondes... TOP ! Zéro heure, zéro minute, quinze secondes... TOP ! Zéro heure, zéro minute, vingt secondes... TOP !

— A vingt-quatre heures zéro minute, Sainte-Anna agira, ne l'oubliez pas, dit M. Gé tourné vers Mme Jonas.

Balzac se tut, soupira, et disparut.

Tout était en place pour la tragédie. Unité de temps, unité d'action et unité du lieu hermétiquement clos dans toutes les dimensions. Et, dans cette boîte métallique soudée, quatre êtres humains contraints de faire un choix entre deux destins également détestables, à moins d'en subir un troisième encore plus fatal...

Ils discutèrent, s'affrontèrent, et mangèrent trois poulets. Pour Jim une seule solution était bonne, exaltante, triomphale : sortir ! Mme Jonas n'en voulait à aucun prix, pas plus que de l'autre. M. Jonas hésitait, calculait les chances de survie, ne voulait pas encore se décider. Jif était partagée entre l'attirance qu'elle éprouvait pour le petit être invisible installé en elle, et la peur qu'il lui inspirait. Elle avait envie de connaître l'extérieur, mais se trouvait très bien dans l'Arche.

L'horloge s'éclaira au zénith, sans qu'on lui eût rien demandé. Elle avait le visage d'Einstein.

— Il est midi, dit-elle. Il me semble que vous n'avancez guère. Voulez-vous le top ?

— La barbe ! cria Mme Jonas.

Elle lui lança un quart de poulet dans l'œil.

— Oh ! fit Einstein, qui s'éteignit.

Vers 14 heures, M. Gé, qui s'était retiré dans sa chambre, revint au salon.

— Si vous voulez, dit-il, je vais vous aider à faire le point. Où en êtes-vous ?

— Vous le savez bien ! grogna Mme Jonas. Vous avez des micros partout...

— On sort ! On sort ! dit Jim.

— On sort pas ! dit Mme Jonas. On attendra quatre ans, dix ans, vingt ans, s'il le faut ! Je veux pas que mon petit-fils avale des radiations et qu'il sorte de sa mère avec des pieds de canard ou une oreille au bout du nez ! Et je veux pas non plus qu'on le sacrifie ici dedans ! Je veux qu'il vive et il vivra !

— Et vous, Jif ?

Elle hésita, secoua la tête et ses cheveux dansèrent.

— Moi, je ne sais pas...

— Tu viens avec moi, on sort ! dit Jim.

Elle tenait sa main gauche serrée autour de sa croix et, tête baissée, regardait son ventre avec une perplexité un peu angoissée.

— Toi tu es toujours pressé !... On voit bien que c'est pas toi qui le portes dans ton sein ! Laisse-moi réfléchir !... D'abord, maman, pourquoi tu te fais tant de souci rien que pour un seul petit-fils ? Nous t'en ferons d'autres ! Jim en est plein !...

— 800 millions et encore et encore 800 millions !... J'en ai des milliards et des milliards !... Nous t'en ferons tant que tu voudras ! Viens, Jif, allons en faire un !..

Il la prit par la main, ils sortirent du salon en courant, il la poussa dans la glissière et se jeta derrière elle. Ils riaient... Et la gazelle reçut de nouveau un rêve de joie plein de tendres pousses exquises et de bourgeons qui s'ouvraient. Et le lion dans son sommeil avait envie de se rouler sur le sable chaud et de se gratter le dos sur l'herbe rêche de la savane, les quatre pattes en l'air...

Puis Jif s'endormit à son tour, détendue, bienheureuse. Elle était l'herbe et le sable, et la feuille et le bourgeon...

— Et vous, M. Jonas ?

— Je me demande si ce n'est pas Jim qui a raison...

— Henri ! C'est pas vrai ?...

— Ma chérie !... Je pense que si nous décidons de ne pas ouvrir, nous serons obligés de sacrifier l'embryon...

— Ce n'est pas encore un embryon, M. Jonas... A peine un œuf, pas plus gros qu'un œuf de puce...

— D'accord... Il n'empêche que si nous sauvons nos vies aux dépens de la sienne, si nous nous enfermons ici avec le souvenir de ce que nous lui avons fait, il pèsera sur nous comme un éléphant !... Ce ne sera pas supportable... Nous pourrirons... Il vaut peut-être mieux prendre le risque... Ah ! si on pouvait être renseigné sur ce qui se passe à la Surface. Il n'y a aucun moyen de le savoir ?

— Tous les instruments de mesure que j'avais fait disposer, en liaison avec l'Arche, ont été détruits le premier jour, même les mieux protégés...

— Oui... oui... Alors, il faudra peut-être ouvrir, même sans savoir...

— Henri, mais tu es malade ! Mais ça va pas !...

— Bon ! Alors laisse-moi y penser !... On a encore un peu de temps... Il y a peut-être une autre solution...

Et, soucieux, le dos un peu courbé, caressant machinalement sa longue maigre barbe, M. Jonas s'en fut à pas lents vers son atelier dans lequel il s'enferma. Il se mit machinalement à fignoler Marguerite, tout en échafaudant des solutions dont il savait d'avance qu'elles ne valaient rien.

En comparant Marguerite à un fourneau à gaz, M. Gé s'était montré très approximatif. Elle ressemblait en fait à une cuisinière électrique.

M. Jonas avait utilisé la carcasse du réchaud de l'Atelier. Il l'avait montée sur deux courtes jambes épaisses se terminant par des pieds à roulettes. Ronds et larges comme des pieds de mammouth. De sa surface supérieure, à la place des plaques de cuisson, s'élançaient quatre cous métalliques brillants, longs et souples, surmontés chacun d'une tête de Marguerite. M. Jonas était un mécanicien génial mais un médiocre artiste. Renonçant à modeler les visages, il avait simplement, avec le plastique dont il disposait, confectionné quatre masses sphériques de la grosseur d'un crâne, qu'il avait peintes en rose, et sur lesquelles il avait ensuite dessiné des yeux, des nez, des bouches et des oreilles, comme en dessinent les petits enfants des toutes petites classes. La pupille de chaque œil droit était un mini objectif électronique qui donnait à chaque tête une vision indépendante. M. Jonas avait peint aussi les cheveux, une tête brune, une blonde, une châtain et une rousse. Les quatre visages de Marguerite étaient naïfs et charmants. Ils exprimaient chacun une émotion différente. La blonde rêvait, la brune pleurait, la châtain souriait et la rousse riait, la bouche ouverte jusqu'aux oreilles sur des dents dessinées comme celles d'un rateau. Et la voix de Marguerite sortait de celle de ses têtes dont les traits correspondaient à son émotion du moment.

— Marguerite ! Marguerite, donne-moi une idée !...

— Moi, tu sais, des idées, j'en ai pas beaucoup... dit la tête blonde.

— Je sais, je sais..., soupira M. Jonas. J'ai bien pensé à fabriquer de l'oxygène supplémentaire, c'est facile, mais il faudrait le prendre à un autre corps chimique, qui disparaîtrait... Un chaînon serait brisé, et toute la chaîne de survie mise en péril...

— Si vous n'avez plus de quoi respirer, eh bien ne respirez plus ! dit la tête rousse.

— Eh bien, voyons ! C'est tout simple !... dit M. Jonas, amer.

Mais tout à coup son visage s'illumina.

— Mais oui, c'est simple ! Tu as raison !...

Il appela :

— Monsieur Gé !... Monsieur Gé !...

— Oui, monsieur Jonas... dit la voix de M. Gé.

— C'est très simple ! Vous n'avez qu'à mettre un ou deux d'entre nous en hibernation jusqu'à la fin des vingt ans ! Et il y aura de quoi respirer pour les autres, y compris le sixième !...

— Croyez que j'y ai pensé, monsieur Jonas... Mais le matériel de mise en hibernation ne pouvait pas entrer dans l'Arche. C'est toute une usine. Il est resté à la Surface. Il est cuit...

— Ah... tant pis... Marguerite, ton idée n'était pas bonne !

— Je suis désolée, Henri...

— Ça ne fait rien, ma grosse... Ne pleure pas...

Il lui donna deux petites tapes sur le flanc. Cela fit « boum-boum... ».

Le problème que M. Jonas avait à résoudre pour l'instant, en plus de celui de l'Arche, et qui lui occupait superficiellement l'esprit tandis que les profondeurs de sa conscience et de son subconscient travaillaient de toutes leurs ressources sur le drame, était le problème du quatrième chapeau de Marguerite.

Il avait coiffé la rêveuse d'une roue dentée qui lui faisait une auréole, il avait vissé sur la souriante le piston d'un compresseur qui, incliné de côté, pouvait passer pour une calotte de groom, il avait posé sur les cheveux bruns de la triste une triple couronne tressée avec les branches du saule pleureur, mais il n'avait rien à mettre sur la tête rieuse.

— Tu resteras nu-tête, lui dit-il, ça te va très bien.

— Je ne suis pas d'accord ! Les trois autres sont coiffées, je ne vois pas pourquoi moi je resterais nue ! Je suis toujours de bonne humeur, alors tu me négliges ! Y en a que pour les pleureuses ! Laisse-moi passer, je vais me trouver un chapeau !...

Et Marguerite démarra, comme un skieur de fond ; jambe gauche, jambe droite..., en direction de la porte. Frrr..., frrr..., faisaient les roulettes, et les quatre têtes ondulaient sur leurs cous flexibles.

M. Jonas ouvrit la porte et Marguerite sortit dans le couloir. Fssch..., fssch... Sur la moquette, ça roulait moins bien...

M. Jonas revint s'asseoir sur une chaise de fer en face du tableau noir, prit un morceau de craie, et resta immobile, coincé. Le problème de l'Arche ne pouvait pas se poser en équations mathématiques...

Assise dans le fauteuil jaune, Mme Jonas mettait au point son plan d'action. Elle avait eu un moment de découragement en se rendant compte qu'elle était seule à refuser les deux solutions proposées par M. Gé. Tous capitulaient, prêts à sacrifier ce pauvre petit trésor amour si mignon chéri... Même son indigne mère à l'intérieur de laquelle il se blottissait, se croyant à l'abri...

La colère lui rendit tout son allant. Il fallait, d'abord, convaincre les autres de ne pas ouvrir. Ensuite gagner du temps en obtenant de M. Gé un délai plus long, huit jours peut-être, avant l'application de la deuxième solution. Enfin, pendant ces huit jours, trouver un moyen de sauver le chérubin. Si les hommes ne trouvaient rien, avec leurs cerveaux exceptionnels, elle, avec sa petite tête, elle trouverait !... Elle sentait déjà un vague espoir bourgeonner quelque part à l'arrière de son crâne, juste là dans le noir, ce n'était pas encore une idée, mais il lui suffirait d'y réfléchir, le moment voulu, pour lui donner forme, comme quand on ouvre une armoire et on trouve un vêtement pendu, tout prêt, qui attendait.

Elle se leva, pour faire face à l'immédiat, et empoigna son cabas-mousse. Henri, elle n'aurait pas grand'peine à le convaincre de ne pas ouvrir. Il fallait d'abord s'occuper des enfants. Où pouvaient-ils être ? Elle n'avait pas envie de tomber sur eux au moment où ils... Pas pour eux, bien sûr, qui trouvaient ces façons si naturelles, mais... Non, elle ne s'y ferait jamais !...

A la porte du salon, elle se trouva brusquement face à face avec Marguerite, qui arrivait, fssch... fssch...

Elle recula, les yeux écarquillés, un obstacle lui faucha les jarrets, elle tomba assise sur la table basse.

Marguerite skia jusqu'à elle, s'arrêta, et inclina vers elle ses quatre têtes. Mme Jonas voulut appeler au secours, mais la peur lui coupait le son. Elle ouvrait la bouche et faisait « ba-ba... ba-ba... », d'une voix imperceptible. Elle entendit le monstre lui dire aimablement :

— Bonjour ! Je suis Marguerite. Et vous, qui êtes-vous ?

— Mar... Mar... Marguerite ? C'est vous Marguerite ?

— Oui madame.

— Oh !... Vous pourriez prévenir !... Vous n'avez pas de klaxon ?

— Je ne connais pas ce mot. Je ne sais pas ce que c'est. Qui êtes-vous ? Je vous l'ai déjà demandé.

— Je suis madame Jonas.

— Ah ! La femme d'Henri ? Comme je suis contente de vous rencontrer ! Henri n'arrête pas de me parler de vous !... Vous allez pouvoir m'aider... Je cherche un chapeau... Oh mais voilà ce qu'il me faut !

La porte du four de la cuisinière s'escamota, deux longs bras à ressorts en sortirent, terminés par des pinces. Une d'elles saisit le tricot de Mme Jonas qui pendait hors du cabas, la tête nue se baissa au bout de son long cou et les deux bras lui entortillèrent le tricot autour du crâne, en forme de turban fixé par les deux épingles.

La tête se redressa, satisfaite. Les trois autres la regardèrent.

— Ça te va bien !

— T'es chouette !

— Tu pouvais pas trouver mieux !

Les deux bras se replièrent, la porte du four claqua, les quatre têtes dirent en même temps :

— Merci Louise !

— Merci Louise !

— Merci Louise !

— Merci Louise !

— Je m'appelle Lucie ! cria Mme Jonas, sortant enfin de sa stupéfaction. Et rendez-moi mon tricot !

Elle essaya de reprendre son bien. La tête esquiva et toutes les quatre poussèrent des exclamations amusées.

— Rattrape-moi ! Allez, Louise ! Chiche ! Cours-moi après !

Marguerite partit en slalom entre les meubles vers la porte du couloir, fssch..., fssch..., se cogna au chambranle, boum, jura avec une voix d'homme, vira sur une jambe, disparut.

Mme Jonas renonça à la poursuivre. D'ailleurs ce n'était pas nécessaire : elle était reliée à elle par le fil de laine. La pelote était dans son cabas. Elle la sortit et se mit à tirer sur le fil et à repeloter.

Elle trouva Jim dans sa chambre, à plat ventre sur la moquette, en train de copier sur un papier-ardoise les mots du dictionnaire avec leur définition. Ses yeux brillants dévoraient le livre. Non, ce n'était pas ici qu'elle trouverait une faiblesse...

— Où est Jif ?

— Je ne sais pas... En bas peut-être...

Il n'avait même pas levé la tête pour lui répondre.

Jif était étendue dans l'herbe, le visage au-dessus du plafond des papillons. M. Gé n'avait choisi que les mâles de certaines espèces, et que les femelles de certaines autres, les plus beaux et les plus belles. Rappelés à la vie, ils ne pourraient pas se reproduire. M. Gé n'avait pas envie de voir les jeunes arbres du monde nouveau dévorés par les chenilles. Les papillons ne vivraient que quelques heures, le temps que les passagers de l'Arche pussent les regarder s'envoler, le temps d'un léger feu d'artifices de grâce et de couleurs, le temps d'une joie brève et d'un long souvenir.

Ils étaient là plusieurs milliers, immobiles, maintenus en plein vol par un fluide transparent gelé au froid absolu. Un éclairage changeant animait leurs couleurs et presque leurs ailes. Jif, doucement, leur parlait. Sa mère s'assit à côté d'elle.

— Auquel tu parles, ma chérie ?

Jif chuchota :

— A celui-là...

Elle le montra du doigt. Il était grand comme une main d'enfant. Ses ailes étaient bleues au centre et à l'avant, avec une couronne de taches d'un blanc neigeux. A l'arrière et sur les bords, le bleu devenait noir, avec une couronne de taches safran, et deux petites taches roses à l'extrémité.

— Qu'il est beau ! Qu'est-ce que tu lui dis ?

— Je lui ai montré ma croix, pour qu'il la mette dans sa chanson...

— Quelle chanson ?

— Quand il se réveillera, je lui ai demandé de me chanter une chanson. Comme quand tu chantes « l'alouette »... Tu crois qu'il chantera ?

— Tu sais, un papillon, ça n'a pas une grosse voix !

— Oh s'ils se mettaient tous à chanter en même temps, dis, ce serait joli !... Est-ce que tu crois qu'ils connaissent « l'alouette » ?

— Franchement, ça m'étonnerait...

— Eh bien ils chanteront autre chose... Moi quand je chante je chante n'importe quoi...

— Oui mon petit oiseau... Comme un oiseau...

— Oh ! Maman ! tu sais, nous avons fait encore un enfant !... Tu ne peux pas imaginer comme c'est agréaaable !...

— Si, si... J'imagine très bien !... Mais ce n'est pas la peine de le dire chaque fois que vous le faites !...

— Pourquoi ?...

— Eh bien parce que... Comment dire ?... Bon, passons... Ou plutôt, puisque tu en parles, est-ce que tu aimerais que Jim fasse des enfants, comme ça, à d'autres femmes ? Ça te plairait, de voir Jim entouré d'autant de filles qu'il y a de papillons là-dessous ?

— C'est impossible ! Il n'y a que toi et moi !

Mais la voix de Jif, malgré sa dénégation, avait changé de registre, perdu l'insouciance, trouvé tout à coup l'inquiétude. Mme Jonas le perçut parfaitement et fut satisfaite. Ça allait marcher...

— Rien que toi et moi ? Qu'est-ce qu'on en sait ? C'est M. Gé qui l'affirme, mais il n'en sait rien du tout ! Tous ses instruments à la surface ont craqué ! Si on ouvre l'Arche on va peut-être trouver plein de vivants là-haut !...

— Des vivants ? Des hommes ?... *Plusieurs* hommes ?

— Des femmes, surtout ! C'est bien plus résistant, les femmes ! Ça travaille deux fois plus, une fois dehors, une fois à la maison, ça endure tout, les grossesses, le métro, la vaisselle, le mari !... La Bombu, ça m'étonnerait pas qu'elles l'aient endurée aussi !... Ça doit être plein de femmes, là-haut, de toutes les races, des jaunes, des noires, des Parisiennes !...

Jif commençait à être épouvantée. Des femmes jaunes ? Des femmes noires ?... Des Parisiennes ?

— Qu'est-ce que c'est, des Parisiennes ?

— Des vampires ! Dès qu'elles voient un homme elles l'attrapent et elles se font faire des enfants sans arrêt, la nuit et le jour !

— Je ne veux pas ! Il est à moi ! cria Jif en sautant sur ses pieds, toutes griffes dehors.

Mme Jonas poussa un grand soupir de satisfaction. Enfin, Jif venait d'avoir une vraie réaction de femme ! On allait pouvoir compter sur elle...

— Eh bien, ma belette, si tu veux pas que les autres femmes te le prennent par morceaux ou tout entier, il faut le garder à la maison ! La place idéale d'un mari, c'est dans le placard. Mais ce n'est pas facile, il faut qu'il aille travailler... Ou bien tu le laisses sortir pour aller chercher des cigarettes, et à peine il a mis le pied sur le passage clouté, il y a là une femme, ou deux, ou trois, qui lui sautent dessus, et des fois tu le revois plus !...

Jif ne comprenait pas tout, elle ne savait pas ce qu'étaient un passage clouté, ni des cigarettes, mais le sens général lui apparaissait parfaitement : il y avait quelque part, en haut, des femmes dévoreuses qui voulaient lui prendre son Jim !...

— Il ne faut pas le laisser sortir ! dit sa mère. Il ne

faut pas ouvrir l'Arche ! Ici tu n'as absolument rien à craindre, elles ne pourront pas arriver jusqu'à lui...

— Mais il ne pense qu'à sortir ! Il copie dans le dictionnaire tous les mots du dehors...

— Écoute ma pigeonne, un homme, ça croit commander, mais c'est toujours la femme qui décide... Tu vas le décider à ne pas ouvrir... Mais pour ça il faut qu'il t'aime, et qu'il le sache. Pour qu'il le sache, il faut qu'il te le dise... Ne t'énerve pas comme ça !... Assieds-toi là, près de moi... Tu vas lui demander de te dire qu'il t'aime...

Jif prit une grande inspiration pour se calmer et se laissa tomber dans l'herbe plastique, près de sa mère.

— Et quand il te l'aura dit, reprit Mme Jonas, il ne pourra plus rien te refuser...

— C'est ça, l'amour ?

— C'est ça, l'amour...

— Mais comment je vais lui demander ?

— C'est pas compliqué... Tu lui dis : « Jim, dis-moi que tu m'aimes ! »... Tant qu'il ne te l'a pas dit, il ne le sait pas. Et s'il ne sait pas qu'il t'aime, il ne t'aime pas... Répète après moi, tendrement : « Jim, dis-moi que tu m'aimes !... »

Mme Jonas fondait de tendresse en se rappelant comment Henri le lui avait dit la première fois, au petit matin, après la chaude nuit dans l'auberge du bord de Loire. Elle dormait, plongée tout entière dans un bonheur épuisé, et elle avait été réveillée, très doucement, par une voix qui murmurait à son oreille « Lucie, je t'aime... je t'aime... je t'aime... ». Le soleil levant, glorieux, entrait par la fenêtre...

Des larmes perlèrent à ses yeux. Jif la regarda avec étonnement, puis se râcla la gorge et claironna :

— Jim ! Dis-moi que tu m'aimes !

— Oh non ! Oh non ! dit Mme Jonas désolée. Pas comme ça !...

Après un quart d'heure de répétition cela allait mieux. Jif commençait à soupçonner ce que c'était, l'amour.

Jim était toujours étendu sur la moquette de sa chambre, le nez sur le Labrousse, à côté de sa feuille-ardoise couverte d'inscriptions. Jif s'agenouilla près de lui :

— Qu'est-ce que tu as copié ?

Il ne l'avait pas entendue venir. Il se tourna vers elle, exalté :

— La Surface !... Et au-dessus ! Tout ce qui est là-haut !... C'est plein de choses formidables ! Écoute !...

Il prit la feuille, se leva et lut :

— Soleil : Astre lumineux au centre des orbites de la Terre et des Planètes...

— Astre ? Qu'est-ce que c'est, un astre ?

— Astre : corps céleste lumineux...

Il leva la tête vers le plafond et appela :

— Monsieur Gé ?

— Oui, Jim...

— Quand je sortirai, est-ce que mon corps deviendra céleste lumineux ?

— Après ce qui s'est passé, ce n'est pas impossible... Mais ce n'est pas souhaitable !

— Oh ! si ! si ! si !...

136

Jim sauta à pieds joints sur son lit et bondit et rebondit jusqu'au plafond.

— Je deviendrai un astre et j'irai faire un enfant au Soleil !...

— Non ! cria Jif. Non ! Je ne veux pas !... Tous tes enfants sont pour moi.

Jim s'arrêta de trampoliner et regarda Jif, qui, debout, serrait ses petits poings, prête à combattre l'univers. Il demanda, étonné :

— Tous mes huit cents millions ?

— Oui ! Le soleil n'a qu'à se trouver quelqu'un d'autre ! Les tiens sont pour moi !

Il sauta à bas du lit. Il trouvait cette prétention exagérée.

— Ça tient pas debout ! J'en ai beaucoup trop pour toi toute seule ! Tu manges pas tous les poulets !

— Les poulets, ce n'est pas toi qui les fais ! C'est Sainte-Anna ! Sainte-Anna peut faire des enfants à qui elle veut, mais pas toi ! Les tiens sont pour moi !

— Tu m'embêtes ! Mes 800 millions et 800 millions et 800 millions sont à moi ! Et je les mets où ça me fait plaisir !

— Non ! Je ne veux pas ! Je ne veux pas !...

Elle se mit à pleurer et se jeta à plat ventre sur le lit, le visage dans ses mains, sanglotante.

Jim était stupéfait. Il s'assit près d'elle, la toucha du bout des doigts. Elle se secoua pour qu'il retire sa main. Ce qu'il fit, comme si elle l'avait brûlé. Il ne comprenait pas.

— Pourquoi tu pleures pour un truc pareil ? Tu es idiote !... Allez, arrête de pleurer !...

Elle lui répondit quelque chose qu'il ne comprit pas. Elle avait le nez congestionné et la bouche dans l'oreiller. Il se pencha vers elle :

— Qu'est-ce que tu as dit ?... Allez, pleure plus...

Elle dégagea sa bouche et répéta avec colère :

— Alors, dis-moi que tu m'aimes !

— Quoi ?

— Dis-moi que tu m'aimes !

Elle s'était retournée, redressée, s'essuyait les yeux

avec le drap fleuri, et le regardait avec un espoir brûlant. Lui réfléchissait, fronçait les sourcils.

— Que je t'aime ?

— Oui !...

Il haussa les épaules.

— J'aime le poulet !...

— Oh !... Tu es stupide !...

— Qu'est-ce que tu veux que je te dise ? J'aime le poulet ! Je ne peux pas dire que je n'aime pas le poulet !

— Et moi ! Tu ne m'aimes pas ?

Elle se leva, se planta devant lui, à deux pas, secoua ses cheveux de lumière :

— Regarde-moi... Tu n'es pas heureux, quand tu me regardes ?

— Oh... Si...

Elle dit d'une voix très douce :

— Viens... viens vers moi...

Il se leva lentement. Il se sentait maladroit, ses jambes étaient de plomb, son cœur battait. Quand il fut près d'elle il lui prit la main. Elle chuchota :

— Tu sens comme ma main est chaude ?

— Tu transpires !

— Toi aussi... Dis-moi : « Je t'aime... »

— Je... Je... Je ne peux pas !

— Pourquoi ?

Il porta une main à son cou.

— Ça me fait une boule là... Ça ne peut pas passer...

— Ferme les yeux...

Elle ôta son soutien-gorge et se serra contre lui pour le toucher avec les pointes exquises de son corps. Alors il passa ses bras autour d'elle et la serra, poitrine contre poitrine, et, les yeux fermés, il sentit une joie immense le fondre en elle et elle en lui, ils n'étaient plus deux mais un seul, unique, léger, sans limites, rayonnant. C'était cela, peut-être, le corps céleste lumineux... Et les mots sortirent tout seuls de sa bouche, sans effort, sans question, il ne pouvait plus les retenir...

— Je t'aime... je t'aime, je t'aime...

Et longtemps, longtemps, longtemps après, ils étaient l'un contre l'autre étendus sur le lit, baignant dans un bonheur unique, et c'était elle qui avait les yeux fermés, sa tête blonde reposant sur l'épaule de Jim. Et lui, les yeux grands ouverts, regardait le plafond et, à travers le plafond, tout ce qui était au-delà, là-haut...

Et il disait, doucement, lentement :

— Tous mes enfants sont pour toi... Rien que pour toi...

Incapable de parler, elle serra un peu sa main posée sur la cuisse de Jim, pour dire : « J'ai entendu, je sais... »

Et il continuait :

— Nous en ferons beaucoup, beaucoup... Et nous irons les planter partout... Dans le ciel et dans le soleil et sur la Terre, partout...

Et elle serra encore un peu sa main pour dire « oui... oui... partout... où tu voudras... tout le temps... je t'aime... »

L'amour ne passe pas toujours par les chemins prévus. Alors que Mme Jonas avait cru, grâce à lui, gagner Jim, il lui avait fait perdre Jif. Elle avait facilement convaincu son mari, mais quand ils se retrouvèrent tous au salon, appelés par le signal du poulet, elle se rendit compte au bout de quelques mots qu'ils étaient maintenant divisés en deux camps égaux, deux pour l'ouverture de l'Arche et deux contre.

— Alors c'est Sainte-Anna qui va décider, dit M. Jonas. Et si elle décide de ne pas ouvrir, elle ne nous laissera aucun délai, elle agira aussitôt, elle fera absorber à Jif un produit abortif, par la bouche, par le nez, par la peau, par les yeux, je ne sais pas comment, nous ne le saurons pas, Jif ne s'en apercevra même pas, et le tour sera joué...

Mme Jonas l'écoutait, atterrée. Jim et Jif n'écoutaient pas. Ils mangeaient, ils avaient une faim superbe, ils étaient assis sur le divan violine, ils mangeaient en se regardant, en se chuchotant des riens et en riant des petits rires que fait éclore le bonheur d'aimer et d'être ensemble.

— J'ai soif ! dit Jim, viens à la fontaine...

Le cœur déchiré par leur insouciance, leur mère les regarda sortir. Ils se tenaient par la main. Jim était joyeux, et Jif partageait sa joie. Elle était heureuse avec lui, *de lui*. Elle le suivrait partout, cela ne faisait aucun doute. Il n'y avait plus que lui qui comptait. Elle se moquait de son enfant comme d'une guigne. Qu'est-ce que c'est une guigne ? Mme Jonas elle-même n'en savait rien...

Elle serra les dents, se retourna vers son mari, le regarda comme s'il était un objet, secoua la tête pour retrouver son sang-froid et dit à voix basse, avec une résolution terrible :

— Ouvrir ou pas, je laisserai pas tuer ce petit !...

C'est alors que, dans une illumination subite, la troisième solution lui apparut. C'était si simple ! Comment n'y avait-elle pas pensé plus tôt ? Elle ouvrit la bouche pour en faire part à son mari, mais la referma aussitôt, regarda autour d'elle avec méfiance, puis se rapprocha de M. Jonas sur la pointe des pieds, se planta devant lui, et lui parla sans émettre un son.

En ar-ti-cu-lant lentement et exagérément, elle lui posa une simple question. Ses lèvres dessinaient d'énormes syllabes muettes. Elle les accompagnait de gestes qu'elle estimait expressifs et clairs comme l'évidence. Mais M. Jonas regardait sa bouche et ses mains avec étonnement et ne comprenait rien.

Après avoir répété trois fois la même phrase, elle lui cria en silence :

— Tu es bouché, ou quoi ?

Puis elle lui fit signe de se baisser un peu et lui répéta sa question dans l'oreille. Il eut l'air étonné et lui montra du doigt la salière de cristal posée sur la table basse, puis celle qui brillait sur le petit bureau d'if anglais.

Elle demanda, muette :

— Les salières ?

Il répondit de la tête : affirmatif...

Jamais elle n'aurait pensé à cela...

Elle s'en fut sur la pointe des pieds les cueillir l'une et l'autre et les jeta dans le Trou. Cling-glouf. La question qu'elle avait posée était : « Est-ce que tu sais où il cache ses micros ? »

— Bon, maintenant on peut parler... C'est bien un de ses coups de cacher ses micros dans les salières. Y en a partout...

— Ils ne sont pas *dans* les salières... Les salières elles-mêmes sont des postes émetteurs... Elles sont en quartz, elles vibrent...

— Pourquoi tu ne me l'as jamais dit ?

— Il n'y a pas longtemps que j'en suis sûr... Et puis quelle importance ? Nous n'avons rien à dissimuler...

— Chuut !... Viens ici...

Elle s'assit sur le divan et il vint la rejoindre. Elle parla à voix basse. On ne sait jamais... Les murs aussi, peut-être, vibrent. Ou les pieds de la table.

— Écoute, c'est simple : «M. Gé a dit que cinq ça va et six c'est trop, c'est bien ça ?

— Oui...

— Et qu'il faut supprimer le sixième ?

— C'est ça...

— Eh bien on va le supprimer !...

— Quoi ! dit M. Jonas étonné, tu as changé d'avis ?

— Pour qui tu me prends ? Pas notre petit ! On va le supprimer, L U I !...

— Qui ?

— M. Gé !...

— Tu es folle !

— Pourquoi ? Il est aussi bien le sixième que ce pauvre innocent ! Et il fait même pas partie de la famille ! A quoi il sert ? Qui c'est qui s'occupe des machines et de tout le fourbi de Sainte-Anna ?

— C'est moi, mais...

— Tu vois bien ! Il est utile à rien, et il boit l'air du petit ! On va lui fermer le robinet !

— Mais il nous a sauvé la vie !

— Justement ! Il a pas le droit de nous la reprendre ! A aucun d'entre nous, même moins gros qu'une puce.

C'était un argument d'une logique discutable, mais M. Jonas commençait à examiner, sans horreur, le projet de sa femme. Il savait, de toute façon, que cette fois encore, comme toujours, il ferait ce qu'elle voudrait. Mais il ferait quoi ?

— Il faudrait une arme...

— Y en a pas dans tes réserves ?

— Non...

— Dire qu'on a même pas un bon couteau de cuisine !

— Tu t'en servirais, toi ?

— Non bien sûr, mais... *SI !*... Pour sauver mon petit, je me servirais de n'importe quoi !... Essaie d'avoir une idée...

— On a si peu de temps...

— Tu as du génie ! Tu vas trouver !...

— C'est difficile de se mettre dans la peau d'un assassin, quand on n'en a pas l'habitude...

Réfléchi, sérieux, il se mit à énumérer les impossibilités, en rouvrant un à un, avec sa main droite, les doigts de sa main gauche fermée :

Le pouce : On ne peut pas l'empoisonner, il ne mange pas...

L'index : On n'a pas d'arme à feu...

Le médius : On n'a pas d'arme blanche...

L'annulaire : On pourrait essayer de l'assommer, mais il est grand... Et avec quoi ?...

— Tu peux pas charger Marguerite de l'exécuter ?

— La pauvre ! Elle est douce comme un agneau !... Je ne vois qu'une possibilité : une bombe...

— Une bombe ? Mais ça fait des dégâts !

— Je peux fabriquer une toute petite bombe... On essaie de la lui glisser dans sa poche...

— Tu parles comme il va se laisser faire !

— Ou bien alors on pourrait...

Le Distributeur l'interrompit. « J'ai du bon tabac... » Automatiquement, M. Jonas obéit au réflexe, et, l'esprit préoccupé par la recherche du moyen infaillible, mais humain, d'éliminer M. Gé, s'en fut, pensif, chercher le poulet, revint s'asseoir près de sa femme, détacha une cuisse et la sala avec une salière qu'il sortit innocemment de la poche de sa blouse.

Mme Jonas regarda l'objet avec horreur :

— Henri !... Tu l'avais sur toi ? Dans ta poche ! Tout ce temps-là ?

— Eh bien... je... oui..., fit M. Jonas confus.

— Mais qu'est-ce qui se passe dans ta pauvre tête ? Est-ce qu'elle est vraiment ramollie ?... Avec ça il nous a sûrement entendus ! Maintenant c'est fichu !...

Elle réfléchit un instant, prit la salière et parla comme dans un micro :

— Vous nous avez entendu, M. Gé ?

— Bien sûr, Mme Jonas...

M. Gé, souriant, entrait au salon. Mme Jonas se dressa et vint vers lui, s'arrêta, lui fit face, farouche, résolue.

— Eh bien tant mieux ! Je ne suis pas pour les coups fourrés ! Je n'aime pas agir en-dessous ! Alors gardez-vous bien ! Vous êtes peut-être très intelligent, mais moi, je me bats pour mon sang ! *J E S U I S L A G R A N D' M È R E !*

Et elle se frappa la poitrine des deux poings comme King-Kong. Cela ne fit aucun bruit caverneux. Elle était bien capitonnée...

— Je vous estime beaucoup, Madame Jonas... Je me félicite tous les jours, et en ce moment encore, de vous avoir choisie... Vous êtes le vrai ferment de vie, irréductible, dans cette graine qu'est L'Arche. Sans vous, elle aurait peut-être pourri. Et c'est peut-être vous qui allez fixer son destin...

Il avait contourné Mme Jonas. Délicatement, tout en parlant, il ramassait les serviettes et les restes du précédent poulet que les enfants avaient abandonnés sur le guéridon de nacre Napoléon III. Tenant le petit paquet du bout de ses longs doigts fins, il alla le jeter dans le Trou...

Cling, glouf.

Alors Mme Jonas, en un éclair, comprit qu'il n'était plus temps de chercher, de discuter, de vouloir, d'hésiter, mais d'agir !

Elle se courba en deux, elle devint buffle, bulldozer, missile, elle fonça droit devant elle en rugissant à pleine gorge, percuta de la tête M. Gé au milieu du corps, et

M. Gé s'envola comme un ballon de rugby, et disparut dans le Trou...

Cling !

Gl... gl... gl...

Ça ne passait pas...

M. et Mme Jonas, immobiles, raides, les yeux écarquillés, regardaient le Trou vide.

Gl... gl... glou... ou... glouf !

— Ouf ! dit Mme Jonas.

Après avoir bu à la fontaine, Jim et Jif coururent jusqu'à la salle de gym et poursuivirent leur course sur les deux pistes parallèles de mousse verte, douce aux pieds, parsemée d'une multitude de fleurettes pas plus grosses que des lentilles. Le tout en plastique, naturellement.

Chaque piste, mobile, se déplaçait d'autant plus vite que le coureur accélérait. Elle ralentissait en même temps que lui, et s'arrêtait s'il s'arrêtait.

Côte à côte, Jim et Jif, courant sur place et riant, essayaient de se dépasser, mais n'y parvenaient pas, et n'y étaient jamais parvenus. Jif, d'habitude, courait aussi vite que Jim, mais elle se sentait maintenant un peu lasse et se laissait aller à un rythme nonchalant. Jim en profita pour pousser un sprint rapide, espérant surprendre la mécanique, mais n'y réussit pas. Exaspéré, il se jeta sur Jif, tomba avec elle sur le tapis, se releva, frappa le tremplin des deux pieds, tourbillonna en l'air, se reçut sur les mains, se rétablit, ôta short et slip, courut vers la douche, la traversa trois fois, s'y maintint, leva son visage vers l'eau, ferma les yeux, ouvrit la bouche, poussa une clameur glouglouttante, se roula sur le sol éponge et recommença à courir pour aller chercher son dictionnaire.

Quand il revint, lentement, le livre ouvert dans ses deux mains, le regard perdu dans les pages, il demanda à Jif :

— Tu sais ce que c'est, le Paradis ? Maman nous dit toujours qu'en haut, avant l'Arche, c'était le Paradis... Écoute : « *PARADIS : Séjour de délices...* »

— Quoi ? cria Jif.

Elle était à son tour sous la douche. Celle-ci tombait du plafond à travers des branches de semble-lierre, en petite cascatelle irrégulière, une goutte tiède, une goutte glacée, frissonnante, bavarde. Et Jif, les oreilles ruisselantes, n'entendait pas. Elle pointa hors de l'eau sa petite tête mouillée et répéta :

— Qu'est-ce que tu dis ?

— Écoute ! « *PARADIS : Séjour de délices ou Dieu plaça Adam et Ève. Séjour des bienheureux. Pays enchanteur.* »

Il ferma le livre en le faisant claquer et le leva à deux mains au-dessus de sa tête en criant, exalté :

— Nous allons ouvrir l'Arche et aller au Paradis !

A ce moment ils entendirent l'énorme glouf éructé par le Trou. Sous leurs pieds et tout autour d'eux, l'Arche trembla. Et la lumière s'éteignit.

Le noir total emplissait l'Arche. Les « nuits » habituelles étaient baignées d'une faible lumière bleue, dispensée par des plafonniers qui ne s'éteignaient jamais, même dans les chambres. On pouvait en réduire la luminosité jusqu'à la rendre presque imperceptible, mais pas la supprimer. M. Gé avait voulu éviter, par ce dispositif, la naissance de la peur de l'obscurité absolue, et de la claustrophobie qui en aurait résulté.

Les lampes blanches s'étaient éteintes, toutes d'un seul coup, partout, et les plafonniers ne s'étaient pas allumés.

— C'est déjà la nuit ? demanda Jif, surprise.

Jim écarquillait les yeux pour essayer de comprendre. Il serra le dictionnaire sous son bras gauche et tendit lentement sa main droite devant lui, paume en avant. Pour toucher.

Toucher quoi ? Il ne savait pas. Quelque chose de dur ou de mou. Le noir.

Jif, en qui montait l'angoisse, l'appela :

— Jim tu es là ? Où es-tu ?...

Elle était sortie de la douche mais n'osait pas aller plus loin.

— Jim ! Viens près de moi ! Ne me quitte pas !...
Quelle drôle de nuit ! C'est noir !...

— C'est plus que la nuit, dit Jim. C'est le malheur !
Il y a un malheur !...

Sa voix monta jusqu'au cri :

— M. Gé ! Il y a un malheur !... M. Gééé !... Il y a un
malheur !... C'est *NOIR !*...

M. Gé ne répondit pas. Le silence pesa sur le noir.

La voix de Jif le perça, toute petite, terrifiée,
chuchotée.

— Jim !... Ne me laisse pas !... Viens près de
moi !... Ne me laisse pas !...

Il chuchota de même, pour que le noir n'entendît pas.

— Je viens... Ne bouge pas... Où es-tu ?

— Près de la douche...

— Je viens... Ne bouge pas... Je t'aime...

Boum...

— Aïe !...

— Qu'est-ce que c'est ?

— La barre fixe !...

Elle pouffa. Le rire chassa la peur. Il se mit à rire
aussi. Il posa son livre à terre et, les deux mains
tendues, alla vers Jif. Il la trouva. Elle était mouillée. Il
posa ses mains sur elle, dans le noir. Les hanches, la
taille. Dans le noir, un sein, une épaule. Il ne la voyait
pas, il la touchait, noire. Il dit, étonné :

— Tu es nue !...

Elle le toucha. Les deux mains à plat sur la poitrine,
la taille, les hanches, dans le noir, une main, le sexe...

Elle dit, inquiète :

— Toi aussi !...

Ils vivaient, depuis seize ans, aussi souvent sans
vêtements que peu vêtus. Hors de la lumière, pour la
première fois, ils venaient de savoir qu'ils étaient nus.

Le noir était tombé sur Mme Jonas comme du plomb fondu glacé. Ce n'est guère possible dans la réalité... Mais cela décrit très exactement ce qu'elle éprouva, l'ardeur de son esprit éteinte d'un seul coup, son cœur brutalement serré, son corps paralysé.

Elle commença à remuer le bout des doigts, puis se serra les mains l'une dans l'autre, et s'enquit d'une voix anxieuse :

— Henri, tu es là ?... Henri, où es-tu ?

— Je suis là, ma chérie, je suis là...

Il était tout près, sa voix tranquille réchauffa Mme Jonas, elle tendit la main vers lui et rencontra la sienne qui venait vers elle. Elle la saisit et s'y cramponna.

— Oh que c'est désagréable, ce noir ! Qu'est-ce qui se passe ? C'est pas encore la nuit !...

— Je ne crois pas... Horloge, quelle heure est-il ?

L'horloge ne répondit pas.

— C'est une panne, dit M. Jonas. Les quatre disjoncteurs ont dû sauter en même temps... Les quatre circuits sont coupés... Il faut que j'en rétablisse un tout de suite, ou c'est le désastre...

— Tu crois que c'est à cause de... hum... Glouf ?

— Sans doute... C'était un gros morceau... Mais

théoriquement, ça n'aurait dû, au maximum, couper qu'un circuit... Il avait peut-être quelque chose dans sa poche... Qui a tout court-circuité...

— Il avait des tas de choses dans ses poches ! Toujours !... C'était un cachottier !... Un dictateur !...

Elle essayait de retrouver sa colère, pour justifier son acte, pendant que son mari, soucieux mais calme, la tenant par la main, l'entraînait avec précaution vers la porte. De la poche de sa blouse il avait sorti son petit tournevis, et le pointait devant lui dans l'obscurité, comme une tête chercheuse.

En arrivant devant l'Atelier, ils entendirent les quatre voix de Marguerite qui appelaient :

— Henri où es-tu ?
— Henri !
— Où es-tu ?
— Henri réponds-moi !

Puis il y eut un grand bruit de choses bousculées qui tombaient et se brisaient. M. Jonas perdit son calme et cria :

— Marguerite ! Tiens-toi tranquille !
— Ah ! Henri !...
— Tu es là !
— Viens vite !
— J'ai peur !
— Dans le noir !
— Viens !
— Viens !
— Viens !
— Viens !

Il tournait déjà la clef dans la serrure. Sa femme le tenait par un pan de sa blouse. Il ordonna :

— Marguerite, tais-toi ! Ne bouge plus ! Dors !

Les quatre voix qui gémissaient se turent en même temps.

Il ouvrit la porte, et après avoir demandé à sa femme de rester sur place, s'enfonça dans les ténèbres. Il connaissait son atelier de façon absolue. Sa mémoire exceptionnelle se rappelait l'emplacement de chaque

meuble, de chaque objet, de chaque outil, dans ce qui
paraissait un fouillis inextricable. Mais où était Marguerite ? Et qu'avait-elle renversé ?

— Marguerite, réveille-toi...
— Henri, je...
— Henri, je...
— Henri, je...
— Henri, je...
— Tais-toi ! Dors !...

Il l'avait située, il la contourna, marcha sur des
débris qui craquèrent, toucha le bord d'une étagère,
leva la main vers l'étagère supérieure, tâta, reconnut
un bocal, deux bocaux, trois bocaux pleins de petits
bidules, écarta le quatrième et saisit, derrière, un objet
qu'il secoua et leva à bout de bras. Mme Jonas poussa
un soupir de joie.

— Aaah !...

C'était un petit flacon de verre à demi-plein d'huile.
Dans l'huile baignait un morceau de phosphore gros
comme une noisette. En le secouant, il avait provoqué
le miracle habituel ; tout le flacon était devenu
phosphorescent. Sa faible lueur verte réchauffa le cœur
de Mme Jonas et permit à son mari de voir vaguement
Marguerite avec ses quatre têtes endormies qui
pendaient, d'évaluer les dégâts, qui n'étaient pas trop
graves, et d'atteindre la console de commande.

Il effleura du bout du doigt les touches commandant
le réenclenchement des disjoncteurs.

Une : rien.

Deux : la lumière blanche revint partout à la fois.

— AAah !...

Et s'éteignit aussitôt.

— Ooooh...

Trois : rien.

Quatre : les lampes blanches clignotèrent, s'éteignirent, les plafonniers bleus s'allumèrent, les lampes
blanches se rallumèrent, les plafonniers s'éteignirent.

M. Jonas, immobile, l'index tendu au-dessus des
touches, attendit quelques instants, puis se tourna vers
sa femme restée dans le couloir :

— Ça a l'air de tenir... Je vais descendre aux machines, voir ce qui se passe. Cherche les enfants, allez tous au salon, asseyez-vous et si ça s'éteint de nouveau, restez assis, ne bougez surtout pas...

— On dirait que la lumière est moins vive que d'habitude, dit Mme Jonas.

— Oui, c'est exact... Je vais essayer de rétablir le premier circuit...

Il passa près de Marguerite et lui frappa amicalement le flanc. Boum-boum... Ses quatre cous pendaient chacun sur un côté, les quatre têtes presque à la hauteur des jambes.

— Marguerite ! Tiens-toi mieux ! Tu peux dormir sans t'écrouler !

Les quatre têtes soupirèrent, les cous se redressèrent mollement et se tortillèrent ensemble, formant une sorte de colonne torse verticale, terminée par le bouquet des têtes qui dormaient les yeux ouverts. La rieuse n'avait toujours pas de chapeau. Après que Mme Jonas lui eût détricoté son turban, elle n'avait pas fait de tentative pour le remplacer. Son tempérament optimiste avait repris le dessus, elle se trouvait très belle sans couvre-chef.

Mme Jonas appela :

— Jim ! Jif ! Où êtes-vous ?

La voix excitée et bouleversée de Jim lui répondit :

— Maman !... Maman viens voir ! Papa ! Viens ! Venez voir ! Venez vite !

Ils trouvèrent Jim et Jif devant la chambre de M. Gé. Jim avait remis son short, et Jif s'était enveloppée dans son drap à fleurettes, entièrement, des pieds à la tête. Elle avait fait un nœud à la poitrine et un à la taille, pour se couvrir partout.

Ils se tenaient par la main et regardaient la porte de la chambre. *Et la porte était grande ouverte.*

— Oh ! s'exclama Mme Jonas.

Elle se précipita pour entrer enfin dans ce lieu interdit que ne défendaient plus M. Gé ni la porte. Jif lui barra le passage avec son bras.

— Non ! M. Gé ne serait pas content !... N'entre pas, mais *regarde !...* Qu'est-ce que c'est ? Regarde !...

La chambre était entièrement vide, sans un seul meuble, pas même un siège. La moquette verte semblait n'avoir jamais été foulée. Au milieu de la pièce, sur un petit tapis de soie chinois, carré, bleu, gris et vert pâle, était couché ce que Jim montrait du doigt.

— Une rose ! dit Mme Jonas stupéfaite. C'est une rose !...

— Oh ! On... on dirait, balbutia M. Jonas, celle qu'il... tu sais, il y a seize ans, quand il est entré dans l'ascenseur, il a emporté une rose...

— Une rose..., dit doucement Jim émerveillé.

154

— Je m'en souviens, dit Mme Jonas. J'étais endormie, couchée sur la civière, j'ai ouvert les yeux et j'ai vu un grand homme blanc qui tenait une rose... Une rose rose... Ça peut pas être la même, évidemment... Mais d'où il la sort ?... Je te parie qu'elle est en plastique !

— Non, dit M. Jonas. Sens...

Le parfum de la rose emplissait la chambre et coulait dans le couloir.

— Comme c'est agréaaable ! dit Jif. C'est la rose ?

— Oui, dit M. Jonas.

— Je la veux ! Jim, donne-la moi...

— Non, dit Jim. Non ! Elle est à M. Gé, je n'y toucherai pas !

— Tu m'aimes ! Va me la chercher !

— Non !

— Je la veux !

Elle lâcha la main de Jim et fit un pas vers la porte ouverte. Jim se jeta devant elle et lui fit face, ses bras écartés appuyés au chambranle l'empêchant de passer.

— Jim ! dit sa mère, on ne doit rien refuser à une femme enceinte ! Laisse-la entrer !...

— Non ! C'est à M. Gé... Qu'elle la demande à M. Gé !...

— Monsieur Gé, demanda Jif, vous me donnez la rose ?

Jif et Jim attendaient la réponse, le visage un peu levé vers le plafond, comme toujours quand ils interrogeaient M. Gé absent, mais M. Gé ne répondait pas.

Mme Jonas, gênée, commença à se demander comment elle allait dire à Jim ce qu'elle avait fait, et comment il allait le prendre.

— Monsieur Gé ! répéta Jif impatiente, répondez-moi ! Je voudrais la rose ! Vous me la donnez ?

— Oh ! dit Mme Jonas.

Elle tendit vers l'intérieur de la chambre un doigt qui tremblait un peu. Ils regardèrent tous.

Sur le précieux tapis, la rose couchée était en train de s'effeuiller. Elle s'ouvrait comme une main lasse. Ses pétales s'écartaient, se détachaient un à un et se posaient doucement autour d'elle.

— C'est un malheur ! dit Jim d'une voix étranglée.
Il se mit à crier :

— Monsieur Gé, il y a un malheur ! Monsieur Gé, répondez ! Monsieur Gé où êtes-vous ?

Bousculant Jif et ses parents, il se mit à courir dans le couloir en appelant M. Gé et criant le malheur.

— Maman ! dit Jif, en se blottissant contre sa mère.

— N'aie pas peur, ma beline, dit Mme Jonas. C'est une rose qui s'effeuille. Ça arrive à toutes les roses... Mais comment tu es attifée ? Pourquoi tu t'es mis ce machin autour ?

— J'étais nue, dit Jif.

Elle appela :

— Jim ! Attends-moi ! Jim !

Et elle se mit à courir, un pan du drap volant derrière elle.

— Eh bien, dit M. Jonas, il ne va pas prendre ça bien du tout, notre garçon. Et comment vas-tu le lui dire ?

— Je lui dirai rien ! Il a pas besoin de savoir ! M. Gé aura disparu, c'est tout... Ça cadre très bien avec son personnage...

C'était la question de son mari qui lui avait, à l'instant même, suggéré la solution. Elle se sentit soulagée d'un poids énorme.

Mais Jim et Jif étaient en train d'apprendre, très exactement, ce qui s'était passé.

Jim entra dans le salon en criant le nom de M. Gé. Jamais, jamais M. Gé n'était resté sans répondre à un appel. Quelque chose de grave était arrivé. Il était peut-être fâché, il était peut-être parti, il était sorti tout seul en haut, il avait traversé le mur et les cailloux, il les avait abandonnés !...

A cette pensée, Jim sentit ses jambes fondre. M. Gé avait fait l'Arche, l'Arche était le Monde, M. Gé savait tout, pouvait tout, M. Gé leur donnait l'air, la lumière et les poulets de chaque jour, M. Gé était bon, M. Gé les aimait, veillait sur eux, avait sauvé son père et sa mère et avait fait grandir Jif et lui, M. Gé allait ouvrir l'Arche vers le Paradis, sans lui on ne pouvait rien, sans lui on n'était plus rien...

Jim se sentit si misérable que les appels ne purent plus sortir de ses lèvres. Il se laissa tomber au bord du divan, hébété, il avait froid, il était devenu vide à l'intérieur et se ratatinait.

L'horloge s'alluma.

C'était le visage de Jean XXIII, empreint de gravité.

— Dieu est mort, dit-il.

— Dieu ?

— Je veux dire le vôtre : M. Gé...

— Ce n'est pas possible !

Jim s'était redressé comme un ressort et interpelait l'horloge.

— M. Gé ne peut pas mourir !

La mort, mourir, il ne savait pas très bien ce que cela signifiait, mais il devinait que c'était définitif et terrible. Cela ne pouvait pas s'appliquer à M. Gé !

— Hélas ! dit l'horloge... Il est bon que vous soyez mis au courant. Voici votre sœur qui arrive. Enfin vêtue !... Asseyez-vous tous les deux, et regardez...

Le visage de Jean XXIII s'effaça et toute la surface du plafond refléta comme un miroir les événements qui s'étaient déroulés au-dessous de lui un peu plus tôt.

Jim et Jif virent et entendirent M. et Mme Jonas discuter la tête en bas, M. Gé entrer de même, se baisser vers le haut pour prendre les restes du poulet, les porter au Trou, Mme Jonas foncer et M. Gé s'envoler vers les profondeurs de Sainte-Anna.

Gros glouf.

Devant la porte close de la chambre de Jim, Mme Jonas se lamentait.

— Viens, Jim ! Sors de ta chambre, viens !...

Le désarroi après le coup d'instinct qui l'avait projetée dans l'action, et la crainte au sujet de Jim, lui faisaient les paumes des mains moites. Elle les essuya sur ses hanches, à sa robe à mouettes. Il lui semblait qu'elle portait ces mouettes depuis une éternité. Et pourtant il n'y avait que quelques heures qu'elle les avait sorties du Distributeur.

— Jim ! Mon petit poussin ! Mon chéri ! Viens ! Sors de ta chambre ! Viens manger !...

Une mère s'imagine toujours, quel que soit l'âge de son enfant, que si elle l'appelle pour manger il va se précipiter comme au temps du biberon. Mais Jim ne bougeait pas et restait muet...

— Viens ! Il y a du poulet !...

Il y avait du poulet, mais c'était du poulet froid. Pour la première fois depuis qu'il distribuait, le Distributeur l'avait livré ainsi.

Jif l'avait goûté avec méfiance, mâchouillé un peu.

— C'est drôle...

A la deuxième bouchée elle avait souri.

— C'est pas mauvais...

— Ce serait meilleur avec une mayonnaise, avait dit M. Jonas, un brouillard de nostalgie au fond de la voix.

Une mayonnaise... Pour faire une mayonnaise il faut un œuf. Sainte-Anna n'en fabrique pas. Il faut qu'il soit pondu. Par une poule. Il y a des poules dans le zoo. Elles dorment. Quand on les réveillera elles pondront. Dans quatre ans.

Une mayonnaise dans quatre ans...

Attention... Il faut aussi de l'huile. Olives. Il y a des plants d'oliviers dans les réserves. « A cent ans, un olivier est un enfant », disait le grand-père paysan. Plutôt l'arachide, c'est annuel. Mais il faudrait l'Afrique. Le colza, le tournesol ?... Il y a des semences dans les réserves. On sèmera, on récoltera...

Une mayonnaise dans cinq ans.

Mais pour obtenir l'huile il faut un moulin.

On construira un moulin.

Un tout petit moulin.

Pas de bois, puisqu'il n'y a plus d'arbres. Un petit moulin tout en pierres et en métal. Pour tailler les pierres il faut des outils. Pour forger le métal, fabriquer les outils, il faut trouver du minerai et du charbon, faire du feu...

Une mayonnaise quand ?

M. Jonas se rendit compte qu'il ne mangerait sans doute plus de mayonnaise de sa vie. La mayonnaise était le fruit de toute une civilisation. Ses arrière-petits-enfants peut-être pourraient en déguster une. A condition qu'on ne perde pas un seul jour quand on rouvrirait l'Arche. Il faudrait aussitôt semer, planter, semer, planter. Ni l'animal, ni l'homme ne peuvent vivre sans les végétaux. Sans l'herbe. Sans le bois. L'herbe pousse vite, mais rien ne peut obliger les arbres à se presser. La nouvelle civilisation serait obligée de les attendre.

Quand on rouvrirait l'Arche... Cette ouverture posait un problème que M. Jonas était seul à connaître. Il n'en avait parlé à personne. D'ici à quatre ans il en trouverait la solution. Bien avant, sans doute.

Il était remonté par l'escalier de sa visite aux

machines et avait donné à tout le monde l'instruction de ne pas utiliser les ascenseurs, pour ne pas risquer d'y rester bloqué. Il avait trouvé la machinerie en parfait état. Rien n'expliquait la quadruple disjonction. C'était justement ce qui l'inquiétait. Le premier circuit s'était remis à fonctionner normalement lorsqu'il avait renclenché les disjoncteurs, à la main. Tout était parfaitement, totalement, normal.

Mais ce poulet froid ?...

En revenant de l'atelier, Mme Jonas avait croisé Jim qui courait vers sa chambre, les yeux fous. Il l'avait regardée avec horreur, puis s'était enfermé, et ne voulait plus sortir. Tout son univers s'était écroulé d'un seul coup. M. Gé et sa mère étaient les deux piliers de son âme. Il leur devait la vie, il les adorait également, sa mère avec tendresse, M. Gé avec vénération, et voilà que, tout à coup, M. Gé était mort et c'était sa mère qui l'avait tué...

— C'est pour ton fils que je l'ai fait ! criait Mme Jonas à travers la porte.

Jif, sans s'émouvoir, lui avait dit ce que le plafond leur avait raconté.

— S'il fallait recommencer, je recommencerais !... Et même M. Gé, s'il pouvait te parler, il te dirait que j'ai bien fait !... Il veut que vous repeupliez la Terre ? Eh bien c'est pas en commençant à massacrer vos enfants que vous allez repeupler !... Allez, viens... Viens manger...

Elle attendit, elle écouta. Rien... Inquiète, elle fit l'inventaire, dans sa mémoire, de tout ce qui se trouvait dans la chambre de Jim. Ou dans ses poches. Et avec quoi il aurait pu chercher à se faire du mal. Heureusement, il n'avait même pas un canif.

Elle retourna au salon. Jif, après la cuisse, avait mangé l'aile.

— Et ton frère, tu y penses ? lui dit sa mère.

— J'ai faim, dit Jif. Il n'a qu'à se commander un autre poulet.

— C'est vrai qu'il faut que tu manges pour deux, maintenant... Tu as raison... Va chercher Jim... Toi tu arriveras peut-être à le faire sortir... Où est ton père ?

— Il est redescendu aux machines, il cherche...

— Quoi ?

— Je ne sais pas...

— Arrête de ronger cet os ! Donne... Va chercher ton frère...

Jif s'essuya les lèvres et les doigts avec son drap péplum, donna à sa mère la serviette et les os, se leva et se redrapa pour aller chercher Jim. La mort de M. Gé ne l'avait pas affectée. Elle trouvait que sa mère avait fait preuve de courage. Elle ne l'approuvait pas entièrement, mais elle admirait son esprit de décision. Quant à M. Gé, elle ne l'avait jamais beaucoup aimé. Son regard la gênait. Il voyait à l'intérieur. Elle n'avait rien à cacher, mais on aime se sentir à l'abri derrière les rideaux, même si l'appartement est propre.

Mme Jonas, soucieuse, posa la serviette et les os sur le plateau d'argent, le prit et se dirigea vers le Trou. Elle s'en approchait sans crainte. Elle n'éprouvait aucun remords. Seulement du regret d'avoir été obligée d'en arriver là. Mais comment faire autrement ? Son souci, c'était Jim. Parviendrait-elle à lui faire comprendre ? Et admettre l'inévitable ?

Elle jeta le plateau et les restes dans le Trou.

Cling.

Le Trou ne faisait plus glouf.

Elle revint vers son fauteuil jaune familier, en humant l'air à plusieurs reprises. Est-ce qu'elle se faisait une idée, ou est-ce que ça sentait vraiment l'odeur de... Elle haussa les épaules. Sans doute son imagination...

Quand Jim entra, suivi de Jif, il portait son dictionnaire devant lui, à deux mains, fermé, avec un doigt coincé entre les pages, pour marquer l'endroit qu'il voulait retrouver. Il s'arrêta et fixa son regard sur sa mère.

— Jim !

Elle se leva lentement. Elle tremblait. Ce n'était plus son petit !... Ce regard dur, ce visage tragique, ces mâchoires crispées...

Il s'avança vers elle et quand il l'eut rejointe, il ouvrit le dictionnaire et lut :

— Assassin : celui qui tue avec préméditation ou par trahison...

Il releva les yeux vers elle et lui dit d'une voix glacée :

— Assassin !...

Suffoquée, elle trouva au fond de son désespoir et de son amour le réflexe sauveur. A tour de bras, elle le gifla. Pan ! Pan ! Les deux joues.

— Tiens ! Je t'apprendrai à parler à ta mère !

Ahuri, il écarquilla les yeux et laissa tomber le dictionnaire. Aussi stupéfaite que lui, Mme Jonas regarda sa main qui venait de le frapper. C'était la première fois. Jamais, jamais elle ne l'avait fait, ni sur ses joues ni sur ses fesses de petit garçon. Une grosse boule lui monta à la gorge. Ce fut comme si ces deux gifles qu'elle venait de lui donner, c'était elle qui les avait reçues, en plus du mot atroce qu'il lui avait jeté. Elle se mit à pleurer puis à sangloter à gros sanglots, debout, raide, immobile. Et elle pensait qu'elle pleurait beaucoup depuis quelque temps, et que c'est pas vrai que ça fait du bien, ça ravage, et que le mot que lui avait dit son petit elle l'avait mérité, c'était la vérité, c'était ce qu'elle avait fait, avec préméditation et par trahison. Et tout cela elle ne le pensait pas clairement, elle n'avait pas la force vraiment de penser avec des idées bout à bout l'une après l'autre, c'était tout mélangé, confus, c'était lourd, elle avait trop de peine...

— Maman ! cria Jim.

Et il se jeta dans ses bras.

M. Jonas revenait du fond de l'Arche, l'air soucieux. Il tenait son petit tournevis dans la main droite.

— Tu as trouvé ce que tu cherchais ? demanda Jif.

— Non..., non...

Il hochait la tête en regardant sa femme et son fils, et sa longue mince barbe ondulait un peu à la façon de la corde à sauter d'une fillette qui joue à faire le serpent.

Jim s'était laissé glisser à genoux devant sa mère, il la tenait à deux bras, le visage caché dans sa jupe et c'était lui qui pleurait maintenant en lui demandant pardon. Mme Jonas souriait, au milieu de ses larmes qui coulaient, et caressait les cheveux de son petit avec ses deux mains, en reniflant.

— Il faudrait liquider cette histoire une fois pour toutes, dit M. Jonas. Et qu'on n'en parle plus... Jim, ce que ta mère a fait est regrettable en un sens, mais en un autre sens, c'est génial. Elle nous a délivrés de l'alternative dont les deux termes étaient mauvais. Et ce qu'elle a fait, moi je n'aurais pas eu le courage de le faire. Quand vous vivrez là-haut, une vraie vie, tu verras que dans une famille c'est toujours la mère qui se charge des besognes déplaisantes : laver le derrière du nourrisson, nettoyer le parquet, saigner la poule ou écorcher le lapin pour que la famille mange. Et éliminer M. Gé. Pour que ton enfant naisse et vive. Quand il sera là, et que tu le verras sourire pour la première fois, tu remercieras ta mère, et tu la béniras...

— Vous sentez pas ? dit Jif, qui huma l'air à plusieurs reprises.

— Oui, dit son père. Ça sent encore plus fort dans le couloir.

— Mais c'est pas... ?

— Si, dit M. Jonas, c'est le parfum de la rose...

— Je croyais qu'elle était morte !...

— Une rose morte ne cesse pas de répandre son parfum, dit M. Jonas. Mais celle-ci embaume vraiment.

— Oh ! je vais la voir !

Jif courut vers la porte. La musiquette du Distributeur l'arrêta.

— Qu'est-ce qui lui arrive, à la musique ?

Elle ne parvenait pas au bout de ses onze notes. Elle dérapait à la troisième, et recommençait :

« J'ai du bon-on... J'ai du bon-on... J'ai du bon-on... »

— Elle bégaie, dit M. Jonas, soucieux.

Encore une anomalie.

Le mur s'ouvrit. Jif prit le plateau et l'emporta vers Jim. Elle le posa sur le petit bureau, saisit le poulet pour en détacher une cuisse.

— Aaah !...

Elle l'avait laché, avec une exclamation de dégoût.

— Qu'est-ce qu'il a, ce poulet ? demanda M. Jonas. Il se baissa et le ramassa.

— Oh là là...

— Qu'est-ce qu'il a ? demanda Mme Jonas.

— Il est cru !... C'est un poulet cru !...

— Qu'est-ce que c'est, un poulet cru ? demanda Jim.

Le poulet cru avait l'air d'être un *vrai* poulet cru. M. Jonas sentait entre son pouce et son index tous les os délicats de la fine extrémité de l'aile par laquelle il le tenait et au bout de laquelle la molle volaille pendait.

Il parvint à une conclusion évidente :

— Il faudrait le faire cuire...

— Qu'est-ce que c'est, cuire ? demanda Jim.

Mme Jonas sentit son cœur redevenir léger, léger, elle retrouvait son petit Jim normal : il recommençait à poser des questions. Il trouva la réponse dans le dictionnaire :

« *CUIRE : Préparer des aliments par le moyen du feu.* »

Il n'y avait pas de feu dans l'Arche et aucun moyen d'en faire. C'était l'ennemi n° 1 auquel M. Gé avait pensé en la faisant construire. Pas seulement par crainte d'incendie : du feu dans l'espace clos aurait consommé de l'oxygène, perturbé l'équilibre et compromis les chances de survie. C'était une des multiples raisons qui lui avait fait choisir le couple Jonas : ni l'un ni l'autre ne fumait. Pas de cigarettes. Pas de briquet. Pas d'allumettes...

Mais dans son atelier M. Jonas disposait d'un creuset électrique. Il y enferma le poulet. Il en retira, dans un nuage de fumée puante, une masse charbonneuse, crevassée, d'où coulait un jus fade.

Ils ne purent en détacher des morceaux. Ils essayèrent de mordre dedans, les uns après les autres. C'était répugnant. Jif fut la seule à s'obstiner. Elle avait trop faim. Elle fit le tour du volatile, bouchée par bouchée. Son visage était noir et luisant de jus. Ses parents et son frère la regardaient dévorer. Elle s'arrêta quand elle arriva à ce qui était resté cru.

— C'est bien, ma chérie ! dit Mme Jonas. Toi au moins tu te défends ! Il faut le nourrir, ce trésor !...

Elle lui prit des mains les restes de la volaille et les jeta dans le Trou.

Cling.

Pas de glouf.

M. Jonas appuya sur le Petit Bouton, pour voir. Peut-être le Distributeur était-il revenu à un meilleur fonctionnement ?...

Quand le mur s'ouvrit, les quatre regards découvrirent, étendue sur le plateau...

— ... une poule ! cria Jim.

Une poule noire, avec toutes ses plumes, pareille à celle qui dormait à quelques pas du lion.

Quand le soir bleu arriva, ils avaient mangé la poule noire. Mme Jonas avait retrouvé le geste ancestral pour la plumer, à pleine main, sous l'œil curieux de ses enfants. Elle enfouissait les plumes dans son cabas-mousse. Des petits duvets gris volaient partout.

Puis elle l'avait vidée, après l'avoir fendue avec ses ciseaux. La tripaille était allée au Trou. Cling.

Enfin elle avait presque réussi à la faire cuire à point dans le creuset électrique. Ils s'étaient couchés rassasiés.

Jim et Jif s'endormirent aussitôt, comme d'habitude, chacun dans sa chambre, Jif entortillée dans son drap mâchuré.

M. Jonas vint rejoindre sa femme dans son lit, ce qui ne lui était pas arrivé depuis longtemps. Ils firent l'amour par inquiétude, pour oublier. Mme Jonas n'était plus très sûre d'avoir bien agi. Son mari se posait des questions très précises au sujet de Sainte-Anna. Elle était programmée pour fabriquer des produits synthétiques, des imitations, pas du naturel. Elle n'en avait jamais fait. Théoriquement, cela lui était impossible. Or le poulet cru et la poule noire étaient incontestablement un vrai poulet et une vraie poule.

En poussant M. Gé dans le Trou, Mme Jonas lui avait

livré *du vivant*. Et Sainte-Anna semblait avoir puisé dans ce nouveau matériau de quoi gravir un échelon de plus dans la complexité de ses créations... M. Jonas n'avait plus osé solliciter le Distributeur. Il avait dissuadé Jif, qui voulait un drap propre. On verrait demain. Demain... Il s'endormit. Il bénéficiait encore de la grâce enfantine du sommeil qu'aucun souci ne peut empêcher d'arriver.

Mme Jonas ne dormait pas. Les yeux grands ouverts dans l'obscurité bleue, elle ruminait une pensée qui lui faisait remonter aux lèvres le peu de nourriture qu'elle avait avalée. Son Henri lui avait expliqué cent fois le principe du circuit fermé : ce que livrait le Distributeur était fabriqué avec ce qui était jeté dans le Trou. Ce soir, en mangeant la poule, ils avaient mangé M. Gé...

Habituellement, c'était l'odeur du croissant croustillant qui réveillait Jif. Cette fois-ci ce fut une odeur différente. Elle l'identifia avant d'avoir ouvert les yeux. La rose...

Le parfum entrait par la porte toujours ouverte, en grandes bouffées rondes qui s'épanouissaient dans la pièce, coulaient vers Jif, se glissaient à l'intérieur d'elle à chaque inspiration, l'emplissant de paix et de douceur.

Elle resta quelques minutes à les respirer et à se détendre, dans un bien-être moelleux. Il lui semblait qu'elle ne pesait plus sur son lit, elle flottait, elle était légère et répandue, comme le parfum. Elle n'aurait jamais pensé qu'une rose, vivante ou morte, pût avoir une odeur aussi longue : la chambre de M. Gé se trouvait à l'opposé de la sienne, de l'autre côté du salon.

La faim lui redonna son poids... Elle s'assit et ouvrit le mur. Le plateau du petit déjeuner s'avança au-dessus de son lit, mais le bol était vide et, à la place du croissant, la petite assiette lui présenta un tortillon de pâte grisâtre qui colla au bout de son doigt quand elle la toucha.

Un gros chagrin l'envahit, un chagrin de petite fille à qui on refuse une sucette. Ce n'était pas seulement la gourmandise frustrée, c'était le plaisir perdu, le rite joyeux du matin tout à coup glacé.

Sa faim insatisfaite redoubla. Elle se leva et courut au salon : il y avait peut-être du poulet...

Elle trouva ses parents et Jim rassemblés devant le Distributeur. Personne n'avait reçu de déjeuner. M. Jonas hésitait à appuyer sur le Petit Bouton. Son fils et sa femme le pressaient de le faire. Ils avaient faim. Jif joignit sa voix aux leurs.

— Vas-y ! Appuie ! Qu'est-ce que tu attends ?

— Bon, dit M. Jonas, on verra bien...

Et il appuya.

Il y eut une sorte de frémissement derrière le mur, puis des bruits bizarres qui ressemblaient à une voix aiguë coupée en petits morceaux. Brusquement, le mur s'ouvrit et une explosion de couleurs et de cris furieux en jaillit, frappa au visage M. Jonas, s'envola par-dessus les autres têtes, et se posa sur le petit bureau, qui grinça sous son poids.

— Un coq ! s'écria Mme Jonas.

C'était un coq vivant, énorme. Aussi gros qu'un veau. Et superbe.

Ahuri, effrayé, ne sachant ni ce qu'il était ni ce qu'était le réel autour de lui, né à l'instant, adulte sans passé, il regardait d'un œil, puis de l'autre, la bizarrerie qui l'entourait.

Sous sa crête rouge en dents de scie dressées, sa tête était bleu-roi à reflets verts, et le tour de ses yeux blanc. Il avait une collerette verte, un plastron feu, le ventre safran, le dos et les ailes noir moiré, et les longues plumes courbes de sa queue glorieuse composaient un bouquet jaillissant de toutes ces couleurs et de quelques autres.

— Monsieur Coq, soyez le bienvenu ! dit Jim, en s'avançant vers lui.

— Krroot ! dit le coq.

Le premier instinct qui s'éveilla en lui fut celui de la défense et de l'agressivité. Il vit de son œil gauche quelque chose qui approchait, tourna la tête pour le regarder de son œil droit, poussa son cri de guerre et fonça sur l'ennemi. Il avait des ailes, il croyait pouvoir s'en servir, il ne savait pas exactement comment, il était aussi lourd qu'une autruche, il tomba sur la table chinoise, écrasa la lampe dont l'ampoule explosa. Épouvanté, il rejaillit vers le plafond, cogna au passage la poignée rouge qui se mit à se balancer.

— Oh ! Seigneur ! dit M. Jonas, pourvu qu'il ne s'y accroche pas !

Mais il était déjà retombé, volait et courait en tous sens, se cognait aux murs, bousculait les meubles, criait, affolé de terreur et d'incohérence. Les Jonas couraient, à gauche, à droite, esquivaient pour l'éviter.

— C'est pas un coq, c'est un taureau ! cria Mme Jonas. Henri ! Il faut l'attraper !

— Comment ? demanda M. Jonas en sautant par-dessus le fauteuil jaune.

— Je ne sais pas ! Va chercher quelque chose pour l'assommer ! Il y a de quoi manger pendant quinze jours !

— Monsieur Coq ! criait Jim, calmez-vous ! Monsieur Coq nous ne vous voulons pas de mal ! Nous vous aimons bien !

Il était émerveillé par la vélocité de ce premier animal qu'il voyait se mouvoir. Mais pourquoi avait-il si peur qu'il ne parvenait pas à parler de façon cohérente ? Jif s'était jetée sous le divan et de temps en temps sortait sa tête pour voir, la rentrant précipitamment quand le tourbillon de plumes approchait.

Épuisé, le coq se percha sur le dos du fauteuil jaune, ouvrit le bec, tira la langue et se mit à haleter, l'air stupide.

— Monsieur Coq...

— Chut ! Tais-toi ! dit Mme Jonas. Ne l'excite pas. Henri, dépêche-toi !

M. Jonas se déplaça lentement jusqu'à la porte et, une fois dans le couloir, courut vers l'atelier. Marguerite dormait toujours, ses quatre têtes réunies au sommet de ses quatre cous joints. Une idée vint à M. Jonas.

— Marguerite, tu dors, tu dors profondément...

— Oui mon Henri, je dors...

— Tu dors et tu m'obéis...

— Oui mon Henri, je t'obéis...

— Bien..., c'est bien... Marguerite, tu es une poule !

— Une poule ? Pourquoi une poule ?

— C'est comme ça ! Tu m'obéis, oui ou non ?

— Oui, je t'obéis... Je suis une poule...

— Parle-moi en poule...

— Crôt-crôt-crôt-crôt, firent les quatre têtes.

— Très bien. Tu es une belle poule, une gentille poule !... Au salon, il y a un coq qui t'attend, un très beau coq, tu vas aller le voir, tu l'appelleras, tendrement...

— Crôôôt... crôôôt...

— Très bien !... Il viendra vers toi, et quand il sera près de toi tu l'attrapes et tu lui tords le cou...

— Pourquoi ? Si c'est un beau coq ?

— Tu n'as pas à discuter, tu m'obéis ! Compris ?

— Oui, je t'obéis, mon Henri chéri... Crôôôt... crôôôt...

— Ça va, ça va... Maintenant, réveille-toi, et en avant ! Exécution !...

Les quatre cous se désentortillèrent et Marguerite fila vers la porte en poussant des cris gallinacés.

Toujours perché sur le fauteuil, le coq l'entendit arriver, ferma son bec, redressa la tête, se dressa sur ses orteils et poussa le premier cocorico de sa vie. Ce fut un bruit affreux, qui semblait sortir d'une trompette géante encombrée de gravier.

Marguerite le trouva sublime.

— Crôôôôt... crôôôôt ! fit-elle en entrant dans le salon.

Elle s'approcha, fsscht, fsscht, le pied gauche, le pied droit, puis s'arrêta. Crôôôt crôôôt...

Le coq sauta à terre et vint vers elle, flambard, vaniteux, ne sachant pas quel instinct le poussait mais prêt à l'assouvir si faire se pouvait. C'était la première femelle qu'il voyait. Il la trouvait tout à fait splendide mais, mais... De quel côté ?...

Il lui tourna autour, s'arrêta et gratta la moquette de ses deux pattes.

— Krôô ! Krôô ! dit-il.

— Oui mon Henri, je t'obéis ! dit Marguerite.

Sa porte ventrale s'escamota, les deux pinces sortirent au bout des deux bras à ressort.

— Krôô ! Krôô ! dit le coq, ébouriffant ses plumes.

— Oh le beau chapeau ! dit la tête rouquine.

Les deux pinces se refermèrent ensemble sur la queue du coq et tirèrent d'un coup sec.

Le coq poussa un hurlement de freins de camion de trente tonnes qui va percuter un platane, jaillit vers la porte et sortit dans le couloir, poursuivi par la douleur de son croupion plumé et par toute la famille Jonas. Il rebondit d'un mur à l'autre, courut, vola, traversa la salle de gym, franchit la douche, cria plus fort, repartit plus vite, tomba dans un glissoir, et disparut. On entendit ses kok-korook-korook-korook s'affaiblir, puis on n'entendit plus rien.

— Eh bien, ta Marguerite, dit Mme Jonas, je la retiens !...

— C'est cette histoire de chapeau, dit M. Jonas. J'aurais dû lui faire un... Elle avait l'air résignée, mais ça lui restait sur le cœur. Elle est si sensible...

— Maman j'ai faim ! gémit Jif.

— Va t'habiller ! On va trouver de quoi manger...

Jif s'aperçut de nouveau qu'elle était nue, cacha ses seins avec ses mains et courut vers sa chambre.

Jim hésita une seconde, puis se jeta dans le glissoir où avait disparu le coq.

— Monsieur Coq, attendez-moi !

— Attention, mon poussin ! cria sa mère. Ne l'approche pas ! Il va te faire du mal !

— J'y vais ! dit M. Jonas.

— Tu es aussi idiot que ton fils ! Qu'est-ce que tu veux lui faire avec tes mains nues, à ce bestiau ? Va d'abord te fabriquer une arme !

Frrr, frrr, un pied en avant, un pied en arrière, au milieu de l'Atelier, Marguerite faisait la ronde à elle seule, en chantant à quatre voix :

> Ah ! mon beau chapeau
> La tan-tire-lire-lire
> Ah ! mon beau chapeau
> La tan-tire-lire-lo !...

Avec un fil électrique, elle avait fabriqué pour sa tête rousse une couronne ornée des plus belles plumes du coq. Et comme il en restait, elle les avait plantées dans les coiffures de ses autres têtes. Elle tournait sur place, frrr, frrr, comme un manège multicolore, ses quatre visages regardant vers l'intérieur et ondulant au bout des quatre cous flexibles. A chaque mouvement, les plumes courbes mêlaient en froufroutant leurs couleurs irisées et flamboyantes. C'était un beau spectacle.

La tête rousse s'inclina hors du cercle, vers M. Jonas.

— Henri ! dis-moi que je suis belle !...

Frrr, frrr...

Mais M. Jonas n'avait pas le temps de la regarder. Il venait de scier en biseau l'extrémité d'une tringle d'acier de deux mètres de long et finissait de l'affûter à la meule émeri. Il en essaya du doigt le tranchant. Un rasoir !...

— Avec ça, dit-il, je réussirai bien à l'embrocher, ton amoureux !

Il sortit de l'Atelier la lance en avant, comme un chevalier.

Il ne trouva plus personne près du glissoir : Mme Jonas, inquiète, était descendue pour empêcher Jim de faire des imprudences. M. Jonas se laissa glisser à son tour.

L'étage des bêtes était constitué de dix couches superposées de cases closes par des portes transparentes coulissantes. Les cent cases de chaque couche étaient desservies par cinq couloirs sud-nord et cinq est-ouest se coupant à angle droit, ce qui donnait vingt-cinq carrefours par couche, soit deux cent cinquante pour tout l'étage. Les couloirs aboutissaient, par une extrémité ou l'autre, à une des deux rampes hélicoïdales qui s'enroulaient de bas en haut comme un double pas de vis autour de l'étage et débouchaient à la surface de la couche supérieure. L'évacuation des bêtes réveillées pourrait donc se faire rapidement et sans obstacle. Dans certains couloirs, des plates-formes électriques, immobiles, attendaient d'être utilisées pour le transport des bêtes lourdes ou des poissons dans leur bac d'eau dégelée.

Et les dix couches communiquaient entre elles par un escalier et un glissoir à chaque couloir.

C'est dans ce labyrinthe que Jim cherchait le coq, Mme Jonas cherchait Jim et M. Jonas cherchait tout le monde.

Jim appelait :

— Monsieur Coq ! Répondez !...

Mme Jonas appelait :

— Jim, où es-tu ? Attends-moi !...

M. Jonas n'appelait pas, il se hâtait vers une voix, vers l'autre, l'écho les coupait en fragments, les renvoyait, les superposait et les répétait. Elles appelaient de tous les côtés. Arrivé au centre de la cinquième couche, appelé à gauche, à droite, devant, derrière, en haut, en bas, M. Jonas s'immobilisa et attendit, l'arme au pied.

Un hasard bienveillant fit arriver en même temps Jim et sa mère aux deux extrémités d'un couloir de la dixième couche. Ils se rejoignirent et cessèrent d'appeler. M. Jonas, n'entendant plus rien, se remit en marche.

Ils finirent par se trouver, mais ne trouvèrent pas le coq.

Revenue dans sa chambre, Jif avait essayé de manger le tortillon de pâte livré par le mur à la place du croissant. Mais il s'était desséché, il était dur comme du bois. Elle le rejeta avec dépit. Le mur ravala son plateau.

Elle retourna au salon, s'approcha du Distributeur, tendit la main vers le Petit Bouton, mais n'osa pas aller jusqu'au bout de son geste. Elle craignait de voir le mur s'ouvrir encore sur quelque monstre. Elle s'assit sur le sol, et attendit, espérant qu'elle allait entendre la petite musique et qu'un poulet rôti délicieux, merveilleux, allait arriver, et que tout allait recommencer, comme avant, quand on recevait à manger chaque fois qu'on le désirait, et même un peu plus...

Elle s'était de nouveau enveloppée dans son drap qui tombait en plis hiératiques autour de sa silhouette accroupie. Seuls émergeaient de la toile fleurie sa tête blonde et ses deux mains serrées autour de sa croix. Immobile, son regard bleu fixé sur le mur clos, elle avait l'air d'une petite divinité orientale de la jeunesse et de l'espoir.

D'escalier en escalier, les trois chercheurs remontèrent bredouilles.

— Où c'est qu'elle a bien pu se cacher, cette foutue bête ? dit Mme Jonas.

— Elle ne s'est pas cachée, dit M. Jonas. Simplement, elle n'était pas en même temps que nous aux mêmes endroits que nous... Ce qu'il faut, c'est y aller tous les quatre, et prendre deux galeries à la fois par les deux bouts. De cette façon...

— Tais-toi !... Sens ! dit Mme Jonas. Sentez !...

Silencieux, ils humèrent : hush, hush, hush...
Le visage de Jim s'illumina. Il s'écria :

— La rose !..

— Oui..., soupira Mme Jonas.

— Alors, une rose, plus elle est morte, plus elle sent bon ? C'est pareil pour nous ?

— Pas précisément, dit Mme Jonas.

— Ce n'est pas normal, dit M. Jonas. Si on allait voir ?

Il était de plus en plus soucieux. Il n'osait pas faire remarquer aux siens que « le sixième », le perturbateur, était bel et bien là, en train de boire l'oxygène : un coq, ça respire... Pour l'instant, il respirait la part de M. Gé, mais il ne faudrait pas trop tarder à lui fermer le robinet.

En plus du coq, cette rose qui sentait comme toute une roseraie, le tracassait. Il suivit son nez, hush, hush... Jim le dépassa en courant, et s'arrêta pile au seuil de la chambre de M. Gé. Quand son père et sa mère le rejoignirent, il regardait à l'intérieur. Son visage exprimait la stupéfaction et la crainte.

— J'ai jamais vu ça..., dit à voix basse Mme Jonas.

Sur le précieux tapis chinois, la rose s'était réduite en fine poussière. Il ne restait d'elle qu'une silhouette gris pâle, délicate, presque sans épaisseur, avec tous ses détails bien dessinés, les dentelures des feuilles, une épine sur la tige en bas à gauche, une autre plus haut à droite, et le relief plat, esquissé, des pétales répandus...

Le parfum était plutôt moins fort qu'à la porte de l'ascenseur. Il semblait que la rose l'eût lancé vers eux comme un appel. Et Jim comprit.

— Je sais ce qu'elle veut, dit-il avec certitude. Elle veut rejoindre M. Gé...

Il entra dans la chambre, s'agenouilla, passa avec précaution ses deux mains sous le tapis, et se releva lentement en le tenant devant lui. Ses parents s'écartèrent pour le laisser sortir et lui emboîtèrent le pas. Il marchait avec gravité, ses avant-bras horizontaux soutenant la fragile relique gisante qu'il ne quittait pas des yeux. Derrière lui venaient Mme Jonas, un peu étourdie, effrayée, ne sachant pas pourquoi elle le suivait ainsi, puis M. Jonas qui cherchait, sans trouver, une explication rationnelle à la longue vie et à la subite réduction de la rose en sa poussière essentielle. Le parfum les enveloppait et les accompagnait.

Quand ils entrèrent au salon, Jif se dressa d'un bond pour crier famine, mais resta muette, la bouche mi-ouverte. Jim, sans la regarder, se dirigea vers le Trou, suivi de sa mère, puis de son père, puis de Jif qui ne pensait plus à sa faim.

Il s'arrêta face au Trou et s'agenouilla.

— Monsieur Gé, dit-il, nous vous rendons votre rose... Et nous vous demandons pardon. Ce que ma mère a fait, elle ne l'a pas fait par méchanceté, et elle ne l'a pas fait pour elle, mais pour nous sauver tous les quatre, et tous les enfants que j'ai faits à Jif et qu'elle porte dans son sein... Pardonnez-nous à tous, monsieur Gé, nous sommes très tristes de ne plus vous avoir avec nous... Voici votre rose...

Mme Jonas, bouleversée, était tombée à genoux et pleurait, une fois de plus. Et elle pensait « Pauvre innocent, mon bel innocent, mon cœur de rose... Qu'est-ce que j'ai à pleurer encore ? J'étais pas comme ça, c'est l'âge... Monsieur Gé vous savez bien que je ne vous en voulais pas... J'espère que vous n'avez pas souffert... »

Jim se releva, engagea ses avant-bras dans le Trou et les écarta. Le tapis et la rose poussière basculèrent vers le noir.

Il y eut un petit cling et une grande, subite, bouffée de parfum, comme un éclair pour les narines. Puis l'odeur s'effaça et Jif retrouva son souci. Elle cria :

— Maman, j'ai faim !

— Je sais, je sais, ma biche, dit tristement Mme Jonas. Patiente un peu... Nous avons tous faim... On va redescendre aux bêtes, tu viendras avec nous, à quatre on finira par trouver cet imbécile de coq, ton père le tuera et tu auras à manger...

— Non ! cria Jim. Je vous en empêcherai ! Vous

avez déjà tué M. Gé qui ne nous avait fait que du bien, et le premier animal vivant qui nous est donné, vous voulez aussi le tuer ! Mais vous êtes pires que la-peste-puisqu'il-faut-l'appeler-par-son-nom ! C'est pour le défendre, que je cherchais le coq, pas pour vous aider ! Je vous empêcherai de le tuer !

Mme Jonas soupira.

— C'est bien beau d'être gentil, mon poussin, mais il faut pas être idiot... Les coqs, on les a toujours tués, ils sont faits pour ça, même s'ils sont un peu durs, à la sauce au vin ça passe, mais il faut les cuire longtemps, on préfère les tuer quand ils sont encore poulets, mais coqs ou poulets, on les tue, tu entends ? On est bien obligé de les tuer pour les manger !...

Elle avait presque crié sa dernière phrase et Jim en fut un instant ébranlé. Mais il se raccrocha à ce qui était pour lui la réalité et l'évidence :

— On a toujours mangé, jusqu'à maintenant, et on n'a jamais tué ! C'est toi qui as commencé avec M. Gé ! C'est toi qui as tout détraqué !...

— C'est possible que j'aie eu tort de faire ce que j'ai fait, mais de toute façon ça n'aurait pas duré ! Quand nous serons là-haut, tout redeviendra normal, et ce qui est normal c'est qu'un poulet ne sort pas du mur tout rôti ! Pour être cuit, il faut d'abord qu'il soit cru ! Et vivant ! Et qu'on le tue ! Mets-toi bien ça dans la tête ! On tue le poulet, on tue le veau, on tue le mouton, on tue le bœuf, on tue le cochon, et on les mange ! C'est comme ça...

— C'est affreux, dit Jim. C'est horrible ! Moi je ne mangerai pas !...

— Tu mangeras pas pendant trois jours, et le quatrième tu auras un tel appétit que tu mangeras le poulet sans même le plumer !...

— Il ne faut pas être bouleversé, Jim, dit doucement M. Jonas en s'approchant de son fils qui tremblait. C'est malheureusement la loi de la nature : le vivant mange le vivant, pour vivre. La mort entretient la vie. Même si tu étais une vache et que tu ne manges que de l'herbe, ce serait la même chose. Sur la terre, l'herbe est vivante. Elle n'est pas en plastique, comme ici. Et c'est la première chose que nous ferons pousser, pour nourrir la vache, qui sera la première bête que nous réveillerons. Et elle mangera la première herbe vivante du monde nouveau... Et un jour nous la mangerons...

— J'ai faim ! cria Jif. Au lieu de faire des discours, est-ce qu'on va enfin le tuer, ce poulet ?

— Voilà ! Ta sœur a compris, elle ! dit Mme Jonas. Allez, on y va !...

L'horloge s'éclaira.

C'était le visage de Jean Rostand.

— Vous allez manger, petite fille, dit-il. Sainte-Anna est parvenue au commencement du cycle et vous offre son chef-d'œuvre... Voulez-vous le top ?

— Non ! dit Mme Jonas.

Jean Rostand s'éteignit. Et la musiquette du Distributeur retentit. « J'ai du bon tabac... » Elle avait retrouvé ses notes. Ce fut pour tous une musique céleste. Ils se tournèrent vers le mur, anxieux, le cœur battant. Et le mur s'ouvrit.

Sur le plateau d'argent était étalée une couche de paille, et sur la paille dorée éclatait la blancheur d'une chose aux formes courbes, exquises, parfaites.

— Un œuf ! dit Mme Jonas, stupéfaite.

— Ça se mange ? demanda Jif.

— Bien sûr, ça se mange, mon trésor ! Il y a même de quoi manger pour tous !

Un gros œuf... Aussi gros qu'un melon d'Espagne. Mme Jonas le prit avec délicatesse, à deux mains, les yeux brillants, le soupesa.

— Je vais le faire cuire à l'eau bouillante... Dans le creuset... Le roi des œufs durs ! Il pèse au moins deux kilos !...

Contrairement à ce que pensait M. Jonas, le coq
s'était caché. Involontairement.

Après l'agressivité et la pulsion sexuelle, le troisième
instinct qui s'éveilla en lui fut celui de la nécessité de se
nourrir. Passant devant la porte transparente d'une
case, il vit à l'intérieur quelque chose de rond qui
brillait, et il décida qu'il allait le manger. C'était
minuscule par rapport à son appétit, mais les gallinacés
en liberté se nourrissent ainsi, de petits grains et
d'insectes infimes qu'ils picorent un à un entre les brins
d'herbe ou dans la poussière. Il leur en faut beaucoup.
C'est pourquoi ils sont si occupés, toute la journée.

Ce qui avait éveillé le réflexe picoreur du coq était
l'œil du chameau qui dormait, couché de profil, les yeux
ouverts. Le coq projeta sa tête et son bec vers l'œil
appétissant, et son bec heurta la porte transparente.
Celle-ci, incassable, ne subit aucun dommage. Ne
voyant pas l'obstacle auquel il se cognait, le coq en
ignora l'existence et, stupide comme un coq, recommença et recommença et recommença à vouloir gober
l'œil du chameau. Et, parmi les coups violents de son
bec formidable, plusieurs atteignirent la plaque d'ouverture, la déformèrent, l'enfoncèrent et la coincèrent.

La porte glissa sur le côté.

L'élan du coup de bec suivant projeta le coq à l'intérieur de la case. Le froid absolu le saisit et, en un instant, le congela à bloc. Mais, sans les précautions de la cryogénie, le froid fit exploser chacune de ses cellules. Totalement détruit, il devint mort sans s'en apercevoir, après une courte vie incompréhensible, pleine de stupeurs et vide de satisfactions.

Dur comme pierre, il tomba sur le chameau et glissa derrière lui.

Sa plaque coincée, la porte resta ouverte. Et le chameau commença à se réchauffer.

Un tel accident, bien que tout à fait improbable, avait été prévu. Un réchauffement par la température ambiante aurait été interminable, et mortel à cause de sa lenteur, le cœur étant encore gelé alors que les couches externes du corps, et le cerveau, dégelés, auraient réclamé du sang chaud.

Pour sauver le chameau, le mécanisme de réveil immédiat se déclencha. Un flot d'ondes ultra-courtes le réchauffa instantanément, dans toute son épaisseur, jusqu'à sa température normale de camélidé. Alors il poussa un grand soupir de chameau, ferma les yeux et s'endormit d'un sommeil normal, d'où il sortirait au bout de quelques heures, totalement dispos.

La tranche du programme de réveil ainsi mise en route ne concernait pas que lui. Elle comprenait aussi, naturellement, ses trois chamelles. Et les vingt-six brebis avec leur bélier.

Tout ce bétail n'aurait dû être réveillé que bien plus tard, quand le premier enfant de Jim et Jif aurait été assez grand pour garder les moutons.

Flic et Floc, le couple de chiens de bergers labrits, furent mis eux aussi en réveil immédiat. Et ces trente-trois bêtes, après seize ans d'immobilité, dormirent d'un sommeil tiède et réparateur. En respirant profondément.

M. Jonas ouvrit la porte de l'Atelier et s'effaça pour laisser entrer sa femme, qui portait l'œuf à deux mains, avec la crainte horrible de le laisser tomber.

— C'est un œuf de quoi, à ton idée ?

— De rien..., dit M. Jonas. Ou plutôt, de Sainte-Anna, puisque c'est elle qui l'a pondu...

— Drôle de poule, dit Mme Jonas.

« ... tire-lire-lo ! » chantait Marguerite, qui continuait sa ronde.

Quand l'œuf passa près d'elle dans les mains de Mme Jonas, un de ses yeux l'aperçut. Elle cessa brusquement de danser et de chanter.

— Œuf !

— Un œuf !

— Crot, crot-crot, crot-crot-crot-crooot !...

Elle pointa ses quatre têtes vers l'objet pharamineux.

— Croot !...

— Je vais le couver !

— Donnez-le-moi !

— Couver !

— Couver !

— Couver !

— Couver !

Elle sortit ses pinces, et se précipita vers Mme Jonas, frrrr, frrrr, en roucoulant. Crot-crot-croooot !...

Mme Jonas recula, serrant l'œuf contre sa poitrine, sans trop le serrer pourtant, dans le rempart de ses mains et de ses avant-bras.

— Henri ! Elle va le casser ! Elle est folle ! Arrête-la !

— Marguerite, dors ! ordonna M. Jonas.

— Je peux le couver en dormant ! Donne-le-moi !...

— *Marguerite, dors !*

— je...

— Je peux...

— je...

— Donne...

— *DORS !*

Les quatre têtes s'inclinèrent lentement au bout de leurs longs cous.

— Tiens-toi convenablement !

Les quatre cous se redressèrent et s'entortillèrent à la verticale, rassemblant leurs têtes en un bouquet de plumes jaunes, rouges, vertes, orange, noires, bleues, qui s'immobilisèrent en frémissant de frustration.

Il n'y eut pas d'autre incident, et Mme Jonas put faire cuire l'œuf dans le creuset, par le gros bout d'abord, par le petit bout ensuite, car il n'y tenait pas tout entier.

Ils en mangèrent la moitié aussitôt, et l'autre moitié avant de se coucher. Les enfants trouvèrent cette nourriture bizarre mais acceptable. Les parents reconnurent avec émotion un goût oublié. Le jaune était très farineux, il fallut boire beaucoup d'eau pour le faire descendre. Le blanc était un peu élastique, mais délicat. « Avec quelques cuillerées de mayonnaise... » pensa M. Jonas. Bon, il ne faut pas y penser. En tout cas ça nourrit... Jif se sentait comblée. L'intérieur du milieu de son corps était bien plein et chaud...

— Tu devrais essayer d'en avoir un autre, dit Mme Jonas. Pendant que tout est tranquille...

M. Jonas hésita. Mais sa femme avait raison : il fallait savoir où on en était, si Sainte-Anna était redevenue normale ou non, et, dans ce cas, quelle surprise elle leur réservait.

Ce fut la pire.

M. Jonas appuya sur le Petit Bouton, le mur s'ouvrit et présenta un plateau. Le plateau était vide.

Zoa, la plus jeune des chamelles, s'éveilla la première. Elle avait de longs cils blancs et des incisives
jaunes presque horizontales, longues de dix centimètres.

Elle sortit de sa case, s'ébroua, secouant ses deux
bosses et son cou recourbé, et elle blatéra. C'est-à-dire
qu'elle poussa un cri semblable au bruit que ferait une
montgolfière si elle était une trompe d'automobile. Et
ce cri signifiait : « Où suis-je... ? »

Il réveilla les deux autres chamelles et le chameau, le
bélier et ses brebis, ainsi que Flic et Floc. Tout le
monde sortit dans les couloirs, les moutons cherchèrent
de quoi brouter, ne trouvèrent rien, et se mirent à
bêler. Flic et Floc, voyant leurs ouailles se disperser,
essayèrent de les rassembler, en aboyant et tournant
autour, comme doivent le faire de bons chiens de
berger. Mais il n'est pas facile de tourner en rond dans
un lieu entrecoupé de vingt-cinq angles droits. Les
brebis s'échappaient par tous les carrefours. Et tous les
carrefours, tous les couloirs et toutes les brebis se
ressemblant, la chienne et le chien couleur de tabacs
brun et blond mélangés, leurs cheveux dans les yeux,
ne s'y retrouvaient plus, couraient davantage,
aboyaient, tiraient la langue. Et plus ils couraient, plus

ils avaient l'impression d'arriver toujours au même endroit.

Enfin Floc, la chienne, se trouva en face du bélier, Jao, qui baissait la tête sous le poids de ses cornes en spirale. Encore un peu ensommeillé, il se demandait une fois de plus pourquoi il devait porter ces deux énormes machins qui lui tiraient la tête en bas et ne lui servaient à rien, pas même à se battre.

— Tu es idiot ! aboya Floc. C'est pour te rendre beau ! Et pour indiquer que tu es le bélier ! Tu as une cervelle comme une noisette, mais deux belles cornes ! Tu es le bélier ! Le chef ! Fais ton métier de chef ! Emmène tes femmes !

— Bââ..., fit Jao, ce qui signifiait « Où ? ».

— Je ne sais pas, dit Floc, ça ne fait rien, vas-y ! Et pour lui donner de l'élan, elle passa derrière lui et lui mordit un gigot.

Jao bondit en avant et sa clarine sonna. C'était une belle cloche en bronze, fixée à son cou par un collier de châtaignier.

Toutes les brebis trottinèrent vers la clarine, emplirent le couloir où se trouvait le bélier et, tête basse, suivirent Jao, qui, poussé par elles, finit par déboucher sur la rampe en tire-bouchon et commença à monter, sonnant et bêlant, suivi de son troupeau frisé et des deux chiens qui mordillaient de temps en temps les pattes des dernières brebis, par habitude et par devoir : il ne doit pas y avoir de dernières.

Zoa, la chamelle blonde, avait retrouvé son chameau, et posé tendrement sa tête entre ses deux bosses. Les deux autres chamelles arrivèrent. Elles étaient plus âgées, plus dures, en pleine forme. Il y eut une explication entre les trois femelles à coups de longues dents, du poil-de-chameau vola, mais ce fut sans gravité.

Le mâle, philosophe, lentement s'ébranla. Elles le suivirent. Il marchait. Il avait beaucoup marché depuis qu'il existait. C'était sa fonction. Une fois de plus il se mettait en marche, pfou-pfou, pfou-pfou, sur ses quatre pieds mous. Ses bosses tanguaient et roulaient, sa tête restait fixe, l'œil pointé vers l'horizon. C'était le bout du couloir.

Quand il y parvint, il se trouva devant un chemin qui, d'une part, montait, et d'autre part, descendait. Les chameaux à deux bosses, dont l'origine est montagnarde, ont les pattes de devant beaucoup plus courtes que les pattes arrière, ce qui les incite à monter. Il monta donc, suivi par les trois chamelles. Les trente-trois bêtes montaient, en aboyant, bêlant, sonnant, blatérant, et en respirant avec de plus en plus de difficulté. Elles commençaient à manquer d'oxygène.

C'était encore la nuit, mais pour accompagner leur réveil, la lumière blanche s'était allumée dans les cinquante couloirs et les deux rampes hélicoïdales.

Mme Jonas dormait mal. Oppressée, elle se réveillait, se retournait du côté gauche sur le côté droit ou inversement, se rendormait, s'éveillait de nouveau, essayait la position sur le dos ou sur le ventre, respirait profondément pour se détendre, ça n'allait pas mieux, elle avait l'impression d'être enfermée au fond d'un placard, sous une pile de linge écroulée.

Et tout à coup, sortant d'un court sommeil agité, elle entendit…

Était-ce possible ? Elle rêvait !…

Ouah, ouah !…

Ouah, ouah, ouah !…

Bèè, bèè, bèè, bèè, bèè…

Bâââ…

Et ding ding ding !

Elle se leva d'un bond, et suffoqua. Son cœur battait contre ses côtes. Mais qu'est-ce qui se passe ? Henri ?…

Elle entra dans la chambre de son mari, contiguë à la sienne, et alluma la lampe de chevet. Il dormait, couvert de sueur, respirait à petits coups rapides. Elle l'épongea avec un coin du drap. Il s'éveilla, la découvrit penchée vers lui. Elle dormait nue, et était venue ainsi. Il vit, suspendus vers son visage, les seins très ronds, très doux, très riches, offerts comme des fruits. Et autour d'eux s'ordonnaient les courbes parfaites des épaules, des bras, du ventre... Il pensa qu'il n'y avait rien de plus beau au monde que sa femme. Il le lui dit en souriant de bonheur.

— Lucie, que tu es belle !... Viens !...

Il s'écarta pour lui faire place dans son lit.

— C'est bien le moment ! Tu entends pas ?...

Il entendait. Mais il croyait que c'était un reste de souvenir rêvé.

Il s'assit vivement, et ce simple effort le fit haleter.

— Bon sang ! L'oxygène !...

A ce moment éclatèrent les trompettes du chameau et des trois chamelles, qui protestaient contre le manque d'air.

— Qu'est-ce que c'est que ça ? dit Mme Jonas effarée.

— Je ne sais pas !... Des vaches ?

— Sûrement pas... Des vaches, j'en ai entendu en Auvergne, ça fait « meeuh »...

Son imitation de la vache lui coupa le souffle.

— Qu'est-ce qu'il y a dans l'air ? Je... je peux plus... on peut plus respirer...

— Ce n'est pas quelque chose qu'il y a... C'est quelque chose qu'il n'y a plus... Les bêtes se réveillent... Elles respirent... Elles pompent l'oxygène...

— Il faut les rendormir, ces saletés !...

— C'est impossible, on n'a pas le matériel...

— Maman ! Maman !...

Jif criait, effrayée. Son appel s'acheva en toux.

Mme Jonas passa rapidement sa robe à mouettes et rejoignit sa fille. Jim était déjà auprès d'elle.

— Maman !... Qu'est-ce que c'est..., ces bruits ?... Je peux pas respirer...

— C'est les bêtes... Elles se réveillent... Elles boivent l'oxygène... N'ayez pas peur... Papa va trouver... un moyen...

Jim gonfla ses poumons, recommença, et recommença encore, furieux du résultat médiocre.

— Un moyen ? dit-il. Il n'y en a qu'un... Il faut ouvrir l'Arche ! Vite !... Où est papa ?

— Dans l'Atelier...

M. Jonas bricolait un générateur d'oxygène. C'était sans espoir. Il pourrait peut-être en fabriquer quelques litres à l'heure, alors qu'il en aurait fallu des mètres cubes, avec tous ces poumons animaux qui dévoraient le fluide de vie. Ce n'était d'ailleurs pas logique, pas normal. Même avec toutes les bêtes réveillées, l'oxygène n'aurait pas dû manquer aussi rapidement. C'était peut-être Sainte-Anna qui l'absorbait. L'équilibre de l'Arche était détruit. Un autre signe en était la chaleur, qui augmentait. M. Jonas transpirait, il avait soif. Il tendit une coupelle de verre et tourna un robinet. L'eau ne coula pas. La tuyauterie chuinta puis se tut. La lumière blanche s'alluma partout. Le jour commençait.

Jim avait jeté son short et son slip. Il aurait voulu ôter sa peau pour avoir moins chaud. La sueur coulait tout le long de son corps. Il laissait une trace humide sur la moquette du couloir. La curiosité l'avait emporté sur tous les autres sentiments. Avant d'aller voir son père, il voulait voir les bêtes. On les entendait moins, leurs cris devenaient plaintifs. Mais aucune ne se plaignait avec des mots qu'on pouvait comprendre. Quelle était la voix du Roi ? Était-ce lui qui avait fait cet énorme bruit rauque ?

Au passage, il se plongea dans la fontaine. L'eau ne coulait plus de la bouche des dauphins de pierre, mais le bassin était plein. Il but l'eau tiède et y plongea sa tête. Il se traîna jusqu'au glissoir et se laissa aller.

Le lion était toujours immobile près de sa lionne, et la gazelle continuait de dormir. Tout était normal dans toutes les cases supérieures.

— Bè...è... è... bè...

Les cris plaintifs venaient de l'ouverture de la rampe. Jim y trouva les brebis couchées, telles qu'il les avait souvent vues dans leurs cases. Mais ici elles remuaient un peu, essayaient de se lever, y renonçaient. Elles n'avaient pas pu monter jusqu'au bout. Jao le bélier avait posé sa tête en travers d'une brebis, et sa bouche ouverte haletait doucement entre ses cornes ornementales.

— Brebis, brebis, dit Jim, n'ayez pas peur..., ayez du courage..., on va ouvrir l'Arche..., vous pourrez de nouveau... respirer, compris... ?

— Bè... bè...

Il attendait mieux comme réponse. Tant pis. On bavarderait plus tard. Il fallait... se dépêcher... d'ouvrir. Il remonta par l'ascenseur.

Effondrés au bout du troupeau, Flic et Floc avaient entendu la voix de l'homme et senti son odeur. Ils trouvèrent encore assez de force pour gémir d'amour.

Les chameaux s'étaient arrêtés plus bas. Le grand mâle avait baraqué en oblique sur la pente et, l'œil plein de sagesse, attendait la suite des événements, ou la fin, en ruminant une vieille touffe d'herbe du désert conservée dans un coin de son estomac depuis seize ans.

Marguerite continuait de dormir dans l'Atelier, mais M. Jonas n'y était plus. Jim le retrouva au salon, avec les autres. Jif, étendue sur le divan, gémissait doucement. Sa mère essayait de la calmer. M. Jonas, dans le fauteuil jaune, les yeux hagards, semblait ratatiné, il s'enfonçait dans un coin du fauteuil, il aurait voulu y disparaître, il était le seul à savoir qu'il n'y avait plus d'espoir, et il allait falloir le leur dire, et il n'en avait pas le courage. Jim lui en donna l'occasion.

— Qu'est-ce qu'on attend... pour ouvrir ? demanda Jim. Qu'est-ce que... tu attends ?

M. Jonas se redressa, essaya de répondre calmement :

— Je... je ne peux pas...

— Pourquoi... ?

— Je ne sais pas... Seul M. Gé... savait... comment ouvrir l'Arche !...

Jim, stupéfait, bouleversé, se tourna vers sa mère. C'était elle qui, par son acte abominable, avait créé cette situation sans issue !... Il allait lui crier sa colère et son désespoir, mais il la vit si ravagée qu'il se tut...

Elle ne savait pas... Elle venait d'apprendre en même temps que lui... Elle était submergée par l'horreur. Elle s'était dressée près du divan, elle regardait Jim comme s'il était son juge, mais c'était elle qui les avait condamnés à mort. Elle ne savait pas... Sa mâchoire tremblait, elle ouvrait et refermait ses mains. Elle voulait revenir en arrière, elle voulait, elle voulait ! Que cela ne se soit pas produit ! Qu'elle n'ait jamais fait cela !...

— Ce qui... est fait... est fait... dit M. Jonas. Elle... ne... savait pas... Pardonne... lui...

Mme Jonas s'était mise en marche, comme hallucinée. Elle marchait vers le Distributeur. Il lui était venu une idée. C'était peut-être possible. Il fallait essayer.

Faire revenir M. Gé !...

Elle frappa, lettre à lettre, sur le clavier : M.O.N-.S.I.E.U.R. G.É.

Mais pendant qu'elle tapait elle savait que ça ne pouvait pas réussir. La substance vivante de M. Gé, Sainte-Anna l'avait utilisée pour fabriquer le poulet

cru, le poulet à plumes, puis le gros poulet, et l'œuf.
M. Gé ne pesait pas lourd, il ne devait pas rester
grand'chose de disponible de lui, dans le circuit fermé...

Elle appuya quand même sur le Bouton.

Le mur s'ouvrit lentement. Dès que sa fente
s'amorça, le salon fut empli par le parfum de la rose.
Puis la fente s'élargit, mais sa hauteur était bien
insuffisante pour la taille d'un homme, même assis.
Et quand l'ouverture eut atteint son maximum,
Mme Jonas, et Jim, qui avait deviné et qui regardait
aussi, virent dans la niche un plateau d'argent, un peu
plus grand que celui du poulet rôti.

Sur le plateau éclatait la blancheur des vêtements de
M. Gé, soigneusement repassés et pliés, sa veste sur
son pantalon, et, sur celle-ci, comme une délicate fleur
funéraire, un petit slip bleu ciel.

Mme Jonas s'effondra. Jim se cacha le visage dans les
mains.

Le mur se referma : Sainte-Anna reprenait ce qu'elle
avait offert. C'était la première fois qu'elle agissait
ainsi. Cela signifiait : « Je ne peux pas vous donner ce
que vous m'avez demandé. Voici ce que je peux faire de
plus approchant. Je sais parfaitement que cela ne peut
pas vous donner satisfaction. Excusez-moi... »

Et le parfum de la rose s'évanouit.

L'horloge s'alluma, au milieu de son ascension. Elle demanda :

— Vous désirez peut-être savoir l'heure ?

Elle ne reçut aucune réponse.

— Non ?... Vous avez raison...

Après un court silence, elle ajouta :

— Il n'y a plus d'heure...

Elle n'avait plus de visage. Ce n'était qu'un rond, qui s'éteignit.

Jim et Jif étendus côte à côte sur le divan, nus, main dans la main, les yeux clos, brillaient de sueur, pareils à des gisants d'or mouillé. Ils respiraient à petits coups, le moins possible. M. Jonas avait recommandé à tous de ne pas bouger, de ne pas parler, de respirer peu, pour faire durer l'oxygène. Le faire durer pourquoi ? Il savait que cela ne servirait qu'à prolonger leur agonie, qu'ils allaient tous mourir, mais c'était ce qu'on doit faire en pareil cas, faire durer la vie. Durer...

Effondré dans le fauteuil, l'esprit embrumé, il avait renoncé à toute recherche d'une solution impossible. Ce serait bientôt fini. La paix...

Il entendit un bruit, souleva les paupières, et vit sa femme qui s'approchait de lui, à quatre pattes sur la moquette. Parvenue près du fauteuil, elle se redressa sur les genoux.

— Henri... Nos petits... Ils vont mourir... dans le péché... Il faut... les marier !...

— On... n'a pas... de prêtre...

— Tu es... capitaine... de l'Arche... Tu peux marier... Et je te fais... curé... Je suis le pape !...

— Tu délires !...

— Oui... comme ça c'est vrai... Viens !...

Elle se leva, le tira faiblement par la main pour le faire lever. Ils allèrent en chancelant jusqu'au divan.

— Jif Jonas..., dit M. Jonas.

Jim et Jif ouvrirent les yeux et regardèrent leurs parents debout à leur chevet, dans leurs vêtements trempés de sueur, les cheveux coulants, les yeux rougis, chancelants, chacun semblant soutenir l'autre en le tenant par la main.

— ... consentez-vous..., continua M. Jonas.

— Non... dit Mme Jonas..., inutile !... Marie-les vite !...

M. Jonas prit une grande respiration d'air inerte et brûlant.

— Au nom de Dieu... et du Président de la République... en vertu des pouvoirs qui me sont conférés...

Épuisé, il tomba à genoux, se cramponna au bord du divan, continua avec le reste de ses forces :

— ... je vous déclare... unis... par les liens... du mariage...

Et il s'allongea comme un chiffon sur la moquette.

Un sourire de bonheur illumina le visage de Mme Jonas.

— C'est bien !... Maintenant... on peut... mourir... Adieu mes enfants... Je vous aime... Vous irez... au Paradis...

Elle tomba près de son mari. Jif et Jim refermèrent lentement les yeux.

Il y eut de grands bruits dans le couloir, et des cris :

— Henri ! Henri ! Où es-tu ?

L'angoisse avait réveillé Marguerite, la faisant

désobéir à l'ordre de dormir. Henri, son Henri était malade, elle en était sûre, il avait besoin d'elle. Elle avait fracassé la porte de l'Atelier, elle accourait en se cognant partout. Elle n'avait pas besoin d'oxygène, son énergie restait intacte.

— Henri où es-tu ? Henri ? Oh !...

Elle le vit étendu, inerte, muet, elle prit peur :

— Henri ! Qu'est-ce que tu as ? Qu'est-ce que tu fais ? Pourquoi tu dors comme ça ?

Elle sortit ses pinces molletonnées, lui prit délicatement les bras et le secoua un peu. Il gémit. Encouragée, elle le secoua plus fort. La bouche de M. Jonas s'ouvrit et sa langue sortit et pendit sur le côté.

— Henri ! Hé ! Henri !... Réveille-toi !...

Elle le souleva et le secoua comme un prunier. Ses quatre têtes le regardaient, et, dans leur agitation, perdaient leurs plumes qui volaient dans le salon et se posaient sur les meubles.

— Comme tu as chaud ! Tu es tout trempé !... Je vais te rafraîchir !... Viens !...

Elle lui prit la main et voulut l'entraîner. Il tomba. Elle lui ramassa un pied et le tira vers la fontaine en le cognant à tous les obstacles.

Jim avait vaguement suivi la scène d'un œil entrouvert. C'était affreux, c'était absurde, ça n'avait aucune importance... Mourir... Qu'est-ce que c'est, mourir ?...

Jif se mit à gémir.

Chacune de ses courtes respirations était une plainte désespérée qui entrait comme une lame dans la poitrine de Jim et la transperçait.

— Jif !... Non !... Non !... Jif !... Non !... Je t'en prie...

Il se boucha les oreilles, mais c'était tout son être qui entendait. Tout ce qui lui restait de vie entendait et il ne faisait plus que cela : entendre... Il ne pouvait pas le supporter, il ne pouvait pas...

Sa mère, un peu plus bas, par terre, près du divan, râlait...

Alors le regard de Jim rencontra la poignée rouge, et il se souvint... En cas de situation désespérée... pour abréger l'agonie... tirer la poignée rouge... Faire sauter l'Arche !

Elle était haute... Comment l'atteindre ?

Il embrassa les lèvres mouillées de Jif.

— Je t'aime...

Du bord du divan, il tomba sur la moquette, près de sa mère. Il se reposa un instant près d'elle, sa joue sur l'immense douceur d'un sein qui recevait sa peine à travers la robe mouillée.

— Maman... Adieu...

Il se remit en mouvement, avança sur les mains et les genoux jusqu'au milieu du salon, se coucha sur le dos, regarda la poignée au-dessus de lui. Inaccessible. Il faudrait tirer le grand bureau jusque-là, mettre le petit sur le grand, monter sur le petit, lever les bras.

Il réussit à se lever, à s'agripper au grand bureau, essaya de le tirer, ne l'ébranla pas d'un millimètre, mais perdit son souffle, tomba aux pieds du meuble en râlant.

Bing ! bang ! dans le couloir.

— Henri ! Mon Henri ! Qu'est-ce que tu as ? Tu es tout rouge !... O mon Henri parle-moi !

Marguerite revenait, tirant M. Jonas par l'autre pied. Il était ruisselant, barbouillé de sang et d'eau. Elle l'avait trempé dans la fontaine. Il saignait du nez, qu'elle lui avait cogné contre un dauphin.

Jim se souleva sur un coude.

— Mar... guerite... soulève... moi...

Il lui tendit une main. Elle la prit et d'un coup sec le mit sur pied. Il se cramponna à un de ses cous.

— Mon Henri, qu'est-ce qu'il a, mon Henri ? Il bouge plus !...

— Je vais... le guérir... il n'aura plus mal... Aide-moi !...

— Oui ! oui ! oui ! oui !

— Lève... tes têtes... bien haut... Pose-moi... dessus...

Heureuse d'être commandée, heureuse d'obéir, elle le souleva comme une plume, joignit ses quatre têtes et le posa dessus, assis.

— Debout... Tiens... moi... les jambes...

Il râlait, l'air lui brûlait la gorge et ne lui apportait plus de vie. Il avait l'impression, à chaque aspiration, de s'emplir d'eau brûlante. Il fallait... finir... Il entendait..., il entendait Jif souffrir... Il fallait... réussir... Lentement, mobilisant ce qui lui restait de forces, râlant et bavant, ruisselant de sueur, il souleva ses pieds, les posa sur les têtes, se redressa, se trouva debout, les chevilles solidement coincées dans les tenons molletonnés des pinces. Il leva les bras...

Il était trop court !

Il trouva la force de crier :

— Lance-moi !...

— Quoi ?

— En l'air !... Tout droit !... Fort !

Marguerite était faite pour recevoir des ordres et pour obéir. Pour obéir *exactement*. Elle lui saisit les mollets et le lança en l'air, tout droit, et fort.

Jim percuta le plafond de la tête. En retombant, il saisit la poignée rouge à deux mains et s'y cramponna.

Terre ouvre-toi
Terre fends-toi
Que j'aille rejoindre mon roi...

C'était l'horloge qui chantait, allumée au zénith. Elle avait le visage de la Lune.

Terre s'ouvrit, Terre se fendit. Le roi Soleil, risquant son œil au coin d'un nuage, vit monter vers lui un champignon de poussière et de flammes. Il en avait vu bien d'autres monter de partout, sur toute la Terre, des années auparavant. Mais, depuis, tout était si calme...

Dans l'Arche, le choc de l'explosion énorme déplaça les meubles et fut suivi d'un long grondement.

Jim ouvrit ses mains crispées sur la poignée, tomba et se reçut sur la pointe des pieds. D'un seul coup, tout était devenu différent : il respirait !

Il respirait un air tiède, normal, merveilleux, qui lui emplissait de joie les poumons et le cœur. Il respirait !... Il cria :

— Je respire !... Je respire !...

Il toussa, toussa et inspira de nouveau, s'emplit d'air jusqu'aux orteils.

M. Jonas respirait, glou-glou, à travers son nez obstrué de sang et d'eau, Mme Jonas respirait et ronflait. Jif ne gémissait plus.

M. Jonas, étendu sur le sol entre le petit bureau et le fauteuil, reprit connaissance et s'assit. Marguerite poussa des cris de joie par ses quatre têtes.

— Tiens-toi tranquille ! lui ordonna M. Jonas.

Il se moucha avec un coin de sa blouse trempée,

respira à fond, goûta l'air avec sa langue, le mâcha, mia-mia-mia, écouta... Un ronronnement régulier avait succédé à l'explosion et au grondement. Un flot d'air tiède entrait par la porte du salon. Il sentait la poussière et l'huile chaude, mais il apportait toute sa ration d'oxygène, en bon brave air honnête, pas très pur, mais total.

— J'ai voulu faire sauter l'Arche ! dit Jim, montrant la poignée rouge qui pendait maintenant un peu plus bas, et de travers.

— Tu l'as ouverte !..., dit M. Jonas. L'Arche est ouverte !... Viens voir !...

Il se leva, toute sa vigueur revenue, barbouillé de sang, luisant de sueur et d'eau, et courut, suivi de Jim. Il savait où se trouvait la porte, cette porte qu'il n'avait pas su lui, comment ouvrir. Il arriva, un peu haletant, à la salle de la fontaine. Le mur du fond, et la portion du couloir extérieur qui lui correspondait s'étaient escamotés, donnant accès à une petite pièce rectangulaire capitonnée de soie jaune. Et M. Jonas reconnut, avec émotion, l'intérieur de l'ascenseur par lequel seize ans plus tôt, Lucie et lui étaient descendus dans l'Arche en compagnie de M. Gé. Dans son pot turquoise, le philodendron était toujours là, intact et identique. Du plastique, évidemment... Et les délicates couleurs du tapis de soie chinois, qui semblait le grand frère de celui de la chambre de M. Gé, luisaient doucement dans la lumière diffuse.

— L'ascenseur... Il est là !... l'ascenseur !...

Il parlait à voix basse. Il osait à peine y croire.

— Pour monter ?... Jusqu'en haut ? demanda Jim.

— Oui... oui..., dit M. Jonas dans un souffle.

Jim se précipita à l'intérieur de la pièce jaune.

— Attention ! cria M. Jonas. Tu ne peux pas sortir comme ça ! Il faut t'habiller, il doit faire moins chaud, là-haut, peut-être froid ! Il faut te couvrir, te protéger les yeux et la peau, contre le soleil et peut-être contre les radiations !...

Mais Jim n'écoutait rien. Il cherchait fébrilement, sur la soie des trois murs, les boutons de commande comme il en existait dans les ascenseurs qui desservaient les étages inférieurs. Mais il n'en vit nulle part.

Il cria à son père qui était resté au dehors, incapable d'avancer d'un pas de plus :

— Où sont les commandes ? Comment on fait ? Je veux monter !...

Il y eut un grésillement puis une voix tomba du plafond.

— Veuillez patienter. L'ascenseur est momentanément hors service. Les travaux de déblaiement et d'aménagement sont en cours. Une sonnerie retentira quand la cabine sera de nouveau en état de fonctionner.

Jim cria vers le plafond :

— Dans combien de temps ?... Ça va demander combien de temps ?...

La voix reprit :

— Veuillez patienter. L'ascenseur est momentanément hors service. Les travaux de déblaiement et d'aménagement... etc...

— Il faut patienter, et prendre des précautions, dit M. Jonas, en hochant la tête.

Revenu au salon, il commença d'expliquer à Jim, et à Jif et Lucie réveillées, ce qui avait dû se passer.

Mme Jonas l'interrompit en montrant la poignée rouge.

— M. Gé s'est moqué de nous, une fois de plus ! Il avait dit que c'était pour faire sauter l'Arche, pas pour l'ouvrir ! Si Jim avait pas eu le courage de vouloir nous faire mourir, nous serions tous morts !

— Non, il ne nous a pas trompés, dit M. Jonas. Souvenons-nous de ce qu'il a dit, exactement : la poignée était destinée à faire sauter l'Arche, en cas de situation désespérée, s'il n'y avait pas *possibilité d'ouvrir*. Or il y avait possibilité d'ouvrir. Nous ne savions pas comment, mais c'était possible, et ce que nous ne savions pas, Sainte-Anna le savait. Quand Jim a tiré la poignée, Sainte-Anna a eu à choisir entre la destruction ou l'ouverture. L'ouverture c'est le risque des radiations, mais également la possibilité qu'il n'y en ait pas. Une chance sur deux, contre zéro chance avec la destruction. Naturellement, elle a choisi d'ouvrir...

— Mais l'explosion que j'ai entendue ? demanda Jim.

— Elle s'est produite *en haut*. Elle était prévue dans le programme d'ouverture, pour pulvériser les déblais, les gravats, les ruines, tout ce qui s'était accumulé à la surface, au-dessus de nous. Ce n'était pas la bombe U. Seulement une petite bombe H propre. Elle a dû tout souffler. Maintenant l'excavateur automatique finit le travail, puis les vingt et une portes vont s'ouvrir, et la cage de l'ascenseur, qui s'était repliée comme un télescope, se dépliera, et la cabine sonnera pour nous appeler... L'air que nous respirons maintenant est celui qui était enfermé dans les mille mètres de la cage d'ascenseur au-dessous des portes. Dès que celles-ci se seront ouvertes nous recevrons l'air du dehors, et avec elles, peut-être, les radiations... Tout n'est pas fini...

Mais tout avait été prévu. M. Jonas alla chercher dans l'Atelier les crèmes antisolaires, les vêtements antiradiation, les compteurs Geiger, les masques, les lunettes, tout le matériel qui attendait depuis seize ans dans un vaste placard. Il en fit la distribution et en expliqua l'utilisation. Il recommanda à chacun de bien mettre les sous-vêtements chauffants. Après être restés des années enfermés dans la température constante de 25 degrés, on risquait gros si on trouvait 15 ou même 20 à la surface. Et on trouverait peut-être moins de zéro...

— Mais on peut rien attraper, dit Mme Jonas. Tous les microbes ont été rôtis !

— Les microbes, dit M. Jonas, c'est nous qui les apporterons ! Nous en sommes pleins ! Le corps humain est un véritable pâté de microbes, une galantine, un clafoutis ! Nous en avons partout, dans l'intestin, dans le foie, dans la rate, dans le sang, dans la peau, dans les os, dans le crâne, dans la vessie, partout ! Et chacune de nos cellules est susceptible, si les conditions s'y prêtent, de se transformer en virus ! Tout ce petit monde grouillant vit avec nous et vit de nous, et nous ne pourrions pas vivre sans lui. Il se tient honnêtement à sa place, tranquille, tant que nous nous portons bien. Mais que nous nous affaiblissions, que nous mangions trop ou pas assez, que par imprudence, maladresse, négligence, ou accident, nous devenions dangereux ou sans intérêt pour l'avenir de l'espèce, alors joue le mécanisme automatique chargé de nous éliminer : une catégorie de microbes se déchaîne, se multiplie, occupe le terrain, et nous bouffe tout crus ! Pendant plus d'un siècle, après les découvertes d'un saint homme un peu simple nommé Pasteur, la médecine a cru que c'était les microbes qui faisaient la maladie, alors que c'est la maladie qui fait les microbes. Attends de prendre un coup de froid, là-haut où il n'y a plus un microbe, et tu verras ce que tes pneumocoques feront de tes poumons !...

— Ça serait quand même plus simple de savoir comment s'habiller, dit Mme Jonas, si on avait seulement une idée d'en quelle saison on est.

L'horloge s'alluma. Son visage était celui de l'Ange au Sourire, de la cathédrale de Reims. On entendit une musique étrange, résonnante, joyeuse, aérienne, qui emplit la poitrine de Jim et lui gonfla le cœur.

— Les cloches ! dit Mme Jonas extasiée.

— Nous sommes le 21 avril, dit l'Ange. C'est le dimanche de Pâques, et il fait beau. Bonne fête !...

Le mur leur offrit un poulet rôti, et un œuf. En chocolat.

Les chameaux s'étaient relevés avant les brebis. De leur long pas placide ils recommencèrent à monter, le chameau en tête et les trois chamelles derrière, chacune selon son rang, à la queue-leu-leu. La plus jeune, sévèrement mordue pendant la bataille de préséance, marchait modestement au bout.

Ils trouvèrent la rampe obstruée par le troupeau bêlant. Ils s'arrêtèrent. Ils n'étaient pas pressés. Mais Flic et Floc, qui n'avaient jamais rencontré d'animaux pareils, et qui avaient retrouvé leurs forces et leur vigilance, virent dans ces grands machins un danger évident pour les douces créatures dont ils avaient la garde. Ils firent face aux monstres, montrèrent les dents et grondèrent, ce qui laissa les chameaux complètement indifférents. Alors Flic aboya férocement sa colère, fonça et mordit la première patte qu'il trouva. Laquelle patte se souleva et l'envoya promener à dix mètres, avec trois côtes luxées. Il tomba en hurlant sur le dos du bélier, qui s'affola et partit au galop vers le haut de la rampe, sa clarine sonnant le tocsin. Une partie des brebis le suivit à la même allure, l'autre partie rebroussa chemin, passant entre les pattes des chameaux. Floc les rattrapa, les dépassa, se retourna contre elles et les fit remonter. Flic essayait de réaliser la même manœuvre en sens contraire avec l'autre moitié. Un bon chien ne doit jamais laisser un troupeau se couper en deux. Mais le bélier fonçait tête basse et les brebis suivaient le bélier. Ils débouchèrent hors de la rampe, Flic bondit, stoppa les brebis et les rassembla. Jao le bélier, continuant de monter, s'était engouffré dans un escalier. Flic s'y engouffra à son tour.

— La sonnette ! C'est la sonnette ! cria Mme Jonas.

— Non, dit Jim, c'est la cloche du bélier...

Ils se tenaient tous les quatre debout au milieu du salon, vêtus de leurs scaphandres antiradiations et coiffés de cagoules. Les tenues étaient de couleurs vives, pour être vues de loin, en cas de nécessité, celle de M. Jonas rouge, celle de sa femme jaune, celle de Jim orange et celle de Jif blanche. Ces deux dernières, prévues pour des tailles de vingt ans, étaient un peu trop grandes et faisaient des plis, mais c'était sans importance...

Ding-ding-ding-ding ! Bââ ! Bââ ! Ouah ! ouah-ouah !... Ouah !... Bè-bè-bè-bè...

Le tumulte animal se rapprochait. Une série de chocs sourds et lointains ébranla l'Arche. Les portes d'or, d'acier, de béton et de bronze commençaient à s'ouvrir.

— Les portes s'ouvrent ! dit M. Jonas. Mettez vos masques !

Ils s'accrochèrent au visage les masques qui pendaient à leur cou. Pour pouvoir mettre le sien, M. Jonas avait coupé sa barbe...

Bââ ! Bââ ! Bêlant et sonnant, le bélier déboucha dans le salon, tête basse, percuta la table chinoise et la pulvérisa. Flic aux trousses, il continua tout droit, traversa la pièce et sauta dans le Trou.

Gros cling.

Glouf !

Flic allait suivre le même chemin quand quelque chose l'arrêta pile : l'odeur de l'homme !

Il se retourna, regarda les quatre silhouettes étranges au milieu de la pièce et malgré leurs museaux de cochons grillagés, reconnut des êtres humains. Son cœur d'amour lui emplit la tête et le corps. Il vint vers eux en remuant tellement la queue qu'il en ondulait jusqu'au bout du nez.

— Chien ! Beau chien ! dit Mme Jonas.

Elle comprit ce qui lui manquait, ce qu'il cherchait : un visage, un regard. Tant pis pour les radiations. Elle ôta son masque. En aboyant de bonheur, il lui sauta dans les bras, elle le retint et il lui lécha la figure du menton au front, en toute hâte, plusieurs fois, sans oublier les joues et les oreilles. Tout le troupeau de brebis, poursuivi par Floc, entra dans le salon en tourbillonnant, monta sur le divan et sur les fauteuils. Bè-bè, bè, bè, bè,...

Drrin !... Drrrin !... Drrin !...

La sonnette.

— C'est la sonnette ! Cette fois c'est la sonnette ! cria Mme Jonas.

— Bebé bon bastre ! lui dit son mari.

Ce qui signifiait : « Remets ton masque ». Elle comprit et le remit.

M. Jonas leva sa main gauche qui tenait le compteur Geiger et regarda...

Il y avait de la radiation. On ne pouvait pas dire qu'il n'y en avait pas. Ce n'était pas très dangereux, mais on ne pouvait pas dire que ça ne l'était pas. Cela aurait pu être pire. De toute façon, les jeux étaient faits. Une seule attitude était possible : en avant !...

M. Jonas montra la porte du salon, et se mit en route en slalomant à travers les brebis, suivi par sa famille. Drrin ! Drrin ! Drrin ! continuait de sonner la sonnette. Et le Distributeur lui répondit : « J'ai du bon tabac dans ma tabatière... » Cette fois-ci, il était allé jusqu'au bout de la phrase. Cela ne lui était jamais arrivé.

Le mur s'ouvrit.

Il se fendit de haut en bas et, dans l'ouverture, souriant, apparut M. Gé, tout de blanc vêtu, tenant dans sa main gauche une rose.

Jim tomba à genoux.

Ils avaient quitté leurs masques, sur les conseils de M. Gé. Le taux des radiations était assez faible pour n'avoir pas d'effet immédiat. Peut-être auraient-elles une influence sur l'évolution de la race, mais il n'était pas certain que ce fût en mal... Ce serait peut-être mieux qu'avant. C'est ce qu'il espérait. Puisqu'il avait fallu recommencer...

Dans l'ascenseur qui les emportait vers la Surface, Mme Jonas, qui n'avait pas dit un mot à M. Gé depuis son retour, lui demanda brusquement :

— J'aimerais bien savoir qu'est-ce que vous êtes, finalement : Dieu ou le Diable ?

— Ni l'un ni l'autre, dit M. Gé. Mais vous avouerez qu'il est parfois difficile de faire la distinction...

— Vous avez ressuscité ! dit Jim.

— Mais non... C'est le circuit fermé... Sainte-Anna avait utilisé une partie de ma substance, mais elle a pu me reconstituer grâce à la substance du bélier. Il faisait juste le poids, grâce à ses cornes...

— Je voudrais qu'elles vous poussent ! dit Mme Jonas.

— Il va nous manquer pour féconder les brebis, dit M. Jonas.

— Non, dit M. Gé. Il y a des réserves de sperme des

mâles de toutes les espèces dans le frigo N° 7. Vous apprendrez à pratiquer la fécondation artificielle... Il vaut mieux laisser faire la nature, mais nous ne pouvons pas nous permettre de voir une espèce s'éteindre parce que nous aurons perdu un mâle dès le départ...

— Il y a aussi de la semence... humaine ?

— Bien sûr...

— Mais alors, pour Jif... on aurait pu... il n'y aurait pas eu besoin de... de Jim ! On aurait pu éviter...

— Vous croyez ?... Et ne pensez-vous pas que c'est mieux ainsi ?

M. Gé, d'un mouvement de menton, désigna les deux adolescents appuyés contre le mur de soie, à l'abri du philodendron. Jim tenait Jif dans ses bras et lui parlait à voix basse en lui montrant le plafond de l'ascenseur, là-haut, la Surface, l'avenir...

M. Jonas soupira.

— Peut-être...

— Maintenant ils sont mariés ! dit Mme Jonas. Y a plus de problème !... Votre insémination, c'est de la cochonnerie... Vous qui savez tout, ce sera un garçon ou une fille ?

— Un garçon ET une fille, dit M. Gé.

Comme toujours, il souriait.

L'ascenseur s'arrêta.

Il avait mis dix-sept minutes pour monter de trois mille mètres de profondeur. Il avait ralenti, puis accéléré, puis ralenti de nouveau, et, vers la fin, raclé un peu la paroi, stoppé deux secondes et repris très lentement son ascension. Maintenant, il était en haut.

Le plafond parla, d'une voix sans sexe :

— Vous voici arrivés. Attention à l'ouverture de la porte. Veuillez rester groupés au milieu de la cabine, s'il vous plaît...

— Maman !... dit Jim.

Il faisait face à la porte et tenait Jif serrée contre lui, tournée elle aussi vers l'avant, bien blottie, serrée entre ses deux bras. Il la serrait si fort qu'elle gémit :

— Tu me fais mal !...

Il y eut un ronronnement et deux déclics.

La porte s'ouvrit...

Le bleu envahit la cabine. Le ciel...

Les yeux écarquillés, Jim tremblait. Il n'y avait pas de mur... Et plus loin, pas de mur ! Et après, et plus loin encore, pas de mur ! pas de mur ! pas de mur !...

Il hurla :

— PARADIS !...

Il poussa Jif, courut, tomba, se roula à terre, riant, sanglotant, suffoquant d'une joie inimaginable.

Les jambes coupées par le spectacle qu'elle découvrait, Mme Jonas dut s'asseoir sur le seuil de la cabine. A gauche, à droite, devant, jusqu'aux horizons, s'étendait un immense désert jaune et gris, uniforme, vallonné de petites buttes comme des vagues, raviné ci et là par le ruissellement des pluies, pour l'instant brûlé de soleil, sans aucune trace de la présence et de l'activité millénaires des hommes. De Paris il ne restait rien, pas une ruine, pas un débris, pas même son emplacement. La Seine n'était plus là.

Jim planta ses mains dans la poussière, l'embrassa, la sentit, la mordit, la mâcha, la cracha, éclata de rire, s'en frotta le visage.

— La terre !... la terre !...

Mme Jonas prit une poignée de ce qui constituait le sol, l'examina. C'était un mélange de cendres et de cailloux éclatés, à demi vitrifiés, avec un reste de vraie terre qui avait réussi, par quel miracle ? à garder son aspect du fond des temps. Elle leva sa main ouverte vers son mari debout près d'elle.

— Les cendres, c'est fertile, dit M. Jonas.

— Nous sèmerons du blé sur Paris ! dit Mme Jonas avec une noire amertume.

Elle jeta devant elle, à la volée, les cailloux et la cendre.

M. Gé rejoignit Jif qui chancelait, tournait, s'abritant les yeux avec la main. Il la prit par le bras et la conduisit près de Jim qui restait assis sur le sol, regardant autour de lui, hésitant à se relever, écrasé par l'immensité de la révélation du monde.

Il murmurait avec ferveur :

— *TERRE : planète habitée par l'homme !...
TERRE : planète habitée par l'homme !...* C'est dans le dictionnaire !...

— Il dépend de vous deux que cela redevienne vrai, dit M. Gé.

Jim se releva d'un bond et étendit ses bras en croix de toutes ses forces, comme s'il voulait toucher à la fois les deux horizons opposés.

— Je n'arriverai jamais au bout !... Jamais !...

— Il n'y a pas de bout, dit M. Gé. Il faut commencer, et continuer... Attention ! Mettez ceci pour *LE* regarder !...

Il tendit des lunettes noires à Jim qui venait de lever la tête et de crisper ses paupières sur ses yeux éblouis.

A l'abri des verres et de ses larmes, il regarda de nouveau le Soleil d'or, le Soleil brûlant, le Soleil rond, si parfaitement rond, rond comme une goutte, comme l'œil de la poule, comme le sein de Jif... Il leva ses deux mains vers lui et lui cria :

— Soleil, je t'aiaiaime !...

Il demanda :

— Là-haut, j'irai ?

— Oui, dit M. Gé.

Il ôta ses lunettes et contempla la Terre. Sa Terre. Sa tâche. Planète habitée par l'homme... Il commençait à se calmer. La joie était maintenant mélangée à son sang et battait dans son corps tout entier.

Un petit nuage échevelé qui accourait de l'Ouest laissa tomber une courte averse. Jif leva son visage vers les gouttes fraîches et tièdes.

— Oh ! la douche ! dit-elle, ravie.

Mme Jonas se leva pour mieux regarder : la Seine, est-ce que ce n'était pas, là-bas, ce ruban brillant qui se dirigeait vers le Sud ? Elle la montra à son mari.

— Tu crois qu'elle va se jeter dans la Méditerranée, maintenant ?

— Pourquoi pas ?... dit M. Jonas.

Il ajouta :

— S'il y a encore une Méditerranée...

— Pourquoi pas ?... dit Mme Jonas. Maintenant, elle est peut-être à Dijon...

Elle se tut, prêta l'oreille quelques secondes, chuchota :

— Écoute !...

— Quoi ?

— Rien !... Absolument rien !... Je n'ai jamais entendu un silence pareil !...

C'était le silence de l'absence de tout. L'air était vide.

Nu. Pas un oiseau, pas un insecte. La transparence d'un espace totalement inoccupé, qui attendait d'être de nouveau empli. Le vent, qui passait sans bruit faute d'obstacle, apportait une odeur de terre brûlée et mouillée.

— Ce n'est pas complètement désert, dit M. Jonas. Regarde par là...

Vers l'est et vers le sud, sur le sol gris et jaune, ils apercevaient des plaques vertes de végétation. De l'herbe, et des buissons, sans doute.

— On va pouvoir réveiller une vache ou deux, et faire monter les brebis. Marguerite les gardera...

— Un arbre ! s'exclama Mme Jonas, en pointant un bras vers la droite. Naturellement !... Le Paradis ! Fallait bien qu'il y ait un pommier !...

C'était un petit arbre, jeune mais déjà bien formé, plus élancé que rond. M. Gé, qui avait une vue exceptionnelle, rectifia :

— Ce n'est pas un pommier... C'est un cerisier... Le printemps a dû être chaud, les cerises sont en avance... Vous pourrez les cueillir bientôt...

— Des cerises !...

Mme Jonas écrasa une larme au coin de son œil droit. Une larme de joie. Son premier bonheur de la Terre retrouvée. Elle regarda de nouveau le grand paysage, soupira. Tant d'espace... Tant à faire...

— Eh bien !... On aura de quoi transpirer...

Elle demanda, à l'intention de M. Gé :

— Par quoi on va commencer ?

Mais M. Gé ne l'entendit pas. Il marchait vers l'ouest, il était déjà loin, il semblait s'éloigner plus vite qu'il ne marchait, il devenait rapidement petit, hors d'appel, au loin, du côté où peut-être, très loin, se trouvait un très vieux ou nouvel océan...

— Monsieur Gé ! Monsieur Gé !... cria Jim.

Il était déjà presque imperceptible.

— Monsieur Géééé !...

— Ne crie pas comme ça ! dit Jif en se bouchant les oreilles. Il reviendra s'il veut...

Le vent qui avait passé sur lui apporta une grande

bouffée de parfum, toute ronde, qui s'ouvrit et s'épanouit autour d'eux.

— Il emporte la rose ! dit Mme Jonas d'une voix sourde. Où est-ce qu'il va ?

M. Jonas vit dans le regard de sa femme, fixé sur la silhouette minuscule, de la crainte, du regret, et un peu de détresse. Il lui mit un bras autour des épaules. Il lui dit :

— Il y a des rosiers dans l'Arche. Nous les planterons, avant de semer le blé de printemps.

Achevé d'imprimer en mai 1999
sur les presses de l'Imprimerie Bussière
à Saint-Amand (Cher)

POCKET - 12, avenue d'Italie - 75627 Paris Cedex 13
Tél. : 01-44-16-05-00

— N° d'imp. 962. —
Dépôt légal : avril 1982.

Imprimé en France